Vivre heureux à tout prix?

Photographie de la couverture: Patrice Puiberneau

Maquette de la couverture: France Lafond

Dépôt légal:
1er trimestre 1982

ISBN 2-89111-100-1

FRANÇOIS BELPAIRE

Vivre heureux à tout prix?

LIBRE
EXPRESSION

244, rue St-Jacques
Montréal, Québec

Le vingt-septième bal masqué de Cendrillon

*P*lusieurs années plus tard, un jour, Cendrillon en était à demander pour la vingt-septième fois à sa vieille marraine de faire son ouvrage de bonne fée.

Malgré ses rhumatismes, la bonne vieille s'acquitta de sa tâche, en espérant qu'en fin de compte l'expérience de la vie finirait par mettre un peu de plomb dans la cervelle de sa frivole protégée.

*L*a citrouille se transforma donc
en carrosse,
les rats en fringants destriers,
les haillons en dentelle de nylon pailletée,
etc… — *Vous connaissez l'histoire.*

Les souliers de verre étaient un peu
ébréchés, mais pouvaient encore faire
illusion si on n'y regardait pas de trop
près.

*E*t voilà ma Cendrillon repartie pour un nouveau château, où elle trouverait d'autres princes charmants, en espérant que cette fois, peut-être, minuit ne sonnerait pas le glas de son rêve...

*L*a soirée se passa comme à l'accoutumée.

Les princes étaient charmants et enchantés, et ils ne manquèrent point de se transformer consciencieusement en crapauds aussitôt qu'on les embrassait.

*C*endrillon s'ennuyait si copieusement qu'elle n'attendit même pas les douze coups de l'horloge pour filer à l'anglaise, oubliant même de perdre un soulier sur les marches de l'escalier d'honneur, comme elle avait pris coutume de faire pour laisser une trace de son passage.

*E*rrant tristement dans les rues,
passant sans s'arrêter aux
devantures des bars et des discothèques,
elle marcha longtemps sans savoir ce
qu'elle cherchait et finit par atteindre la
porte de la ville.

L'aube se levait quand elle approcha de la cabane de l'Ermite qui, justement, était de garde ce matin-là.

— *Bonjour, dit Cendrillon qui était heureuse de voir quelqu'un.*

— *Bonjour, dit l'Ermite qui s'ennuyait un peu dans sa solitude.*

— *Pouvez-vous m'indiquer mon chemin? s'enquit Cendrillon.*

— *Qui va droit devant lui finit par faire le tour du monde et se retrouve à son point de départ, dit l'Ermite.*

— *Ça, je commençais à m'en douter, dit Cendrillon.*

— *Le doute est le début de la sagesse, dit l'Ermite.*

E t l'Ermite enchaîna:

— *Regarde dans ton coeur, il y a là*
  un jardin merveilleux.

Au delà des ronces, il y a des roses.
Au milieu de la forêt, il y a un temple.
Au creux du lac, il y a une perle.
En arrière des masques, il y a un coeur.

— *Que dois-je faire? s'enquit Cendrillon.*

— *Retourne à la ville où tu es née,*
  mange ta citrouille, chasse les rats,
  donne tes souliers de verre au musée
  et tisse-toi une robe neuve de tes
  mains.
  Ensuite, tu reviendras me voir et je te
  poserai trois questions.

*C*endrillon s'en fut donc chez elle et, entre les corvées de la vaisselle, des planchers et de l'âtre, elle se fit une belle tarte à la citrouille, distribua de la mort-aux-rats et se mit au métier à tisser.

Quelques jours plus tard, on l'aurait à peine reconnue, avec ses joues plus rondes et sa robe neuve.

Plus personne ne la prendrait en pitié.

Mais elle cherchait toujours son chemin.

*E*lle retourna donc chez l'Ermite,
emportant avec elle une pointe de
tarte à la citrouille à son intention.

— *Me voici, dit Cendrillon. J'ai fait tel
que vous m'avez dit. Et je cherche
toujours mon chemin.*

— *Je te poserai donc les trois questions.
Mais il ne faut pas aborder la
deuxième avant d'avoir répondu
à la première, ni la troisième avant
d'avoir résolu la deuxième.*

*Voici: Où es-tu?
        D'où viens-tu?
        Où vas-tu?*

A nouveau, Cendrillon retourna chez elle et elle réfléchit beaucoup.

Avec grande attention, elle tâtait le sol sous ses pieds partout où elle se trouvait, goûtait au pain qu'elle mangeait, palpait les cendres qu'elle nettoyait, humait l'air qu'elle respirait. Elle en était tellement absorbée qu'elle n'eut plus le temps de penser à sa marraine, la fée.

Puis elle consulta des textes anciens qui relataient les différentes versions de son histoire et elle en inventa même quelques-unes de son cru, sans trop s'en apercevoir.

De temps à autre elle retournait voir l'Ermite pour lui faire part de ses découvertes.

*P*uis un jour, elle courut vers lui,
le coeur léger, et lui déroula tout
d'un trait:

— Je suis ici.
Je viens de partout.
Je m'en vais n'importe où.
Et elle avait fini de se faire pitié.

Alors l'Ermite lui parla pour la
dernière fois:

— Va, maintenant, retourne voir ta
bonne fée et prends bien soin d'elle
car elle est vieille et seule.
Dorénavant ce n'est plus toi qui as
besoin d'elle, comme tu n'as plus
besoin de moi d'ailleurs.
Maintenant, c'est à toi de jouer.

Et l'Ermite disparut en fumée.

L'âme piégée

Nous sommes tous, au fond de notre âme, des Cendrillons pleurant dans nos cendres, ou des Belles au bois dormant attendant le Prince charmant, des Chats bottés plus forts et plus rusés que les puissants de ce monde, ou des Petits Poucets semant précautionneusement nos cailloux blancs, et tous nous cherchons à résoudre l'une de ces singulières équations dont les contes de fées et les mythes nous fournissent un catalogue universel. (Vous êtes-vous déjà demandé quel est votre conte de fées préféré? — Il contient habituellement, pour qui sait lire entre les lignes, une définition complète du dilemme fondamental qui est le nôtre.) Tous, nous nous débattons avec plus ou moins de bonheur dans un piège tendu à l'intérieur de nous-mêmes.

Et nous n'avons pas tous la chance de rencontrer un Ermite, qui se trouverait là par hasard pour poser quelques questions innocentes qui nous mettent sur la piste de la clef de notre piège. L'ermite peut être un ami ou une rencontre fortuite, quelquefois un événement ou un rêve révélateur, un livre ou une chanson; parfois nous le trouvons au fond de nous-mêmes, si nous savons écouter les signaux, souvent déplaisants, de notre âme piégée.

Je fais un métier où les gens viennent me voir quand ils sont pris au piège, quand ils ont l'âme en perdition. S.O.S. Ils sont tendus, font de l'insomnie, souffrent d'ulcères ou de malaises d'une monotone diversité; ils songent au suicide ou ils ont peur de sombrer dans la folie; ils s'entre-déchirent ou se dessèchent dans un couple malheureux; ils ont perdu le feu de vivre et errent comme des zombies. Souvent, la solution paraît simple: détendez-vous, occupez-vous, embrassez-vous ou séparez-vous; mais elle est inapplicable: ils y ont pensé, à toutes les solutions; quelqu'un leur a déjà donné tous les bons conseils. Quelquefois, une solution évidente a permis de reléguer le problème aux oubliettes pour quelques mois ou quelques années. Puis, un jour, le château de cartes s'écroule, l'équilibre précaire est perturbé et l'âme en peine crie au secours.

Ce que j'appellerai ici l'*âme* n'a pas grand-chose à voir avec la définition que nous apprenions au catéchisme. Il ne s'agit pas, bien sûr, de cette entité invisible, immatérielle, qu'un dieu nous aurait insufflée pour que nous la transportions intacte de la naissance à la mort, alors qu'elle serait appelée à retourner devant son créateur pour goûter, pour l'éternité, la béatitude ou la damnation méritée par nos actes. J'utiliserai le terme «âme», faute d'un autre plus courant, dans le sens de l'ancien «anima» ou «psychè», pour parler de ce que nous éprouvons comme le centre de nous-mêmes, ce principe de vie qui nous anime ou ce pivot de notre expérience la plus intime autour duquel s'organise tout ce que nous sommes.

Les gens qui viennent me consulter ne me disent jamais qu'ils ont mal à l'âme. Ils ont des phobies ou des obsessions ou des pannes d'énergie ou des symptômes psychosomatiques. À trop se faire négliger, l'âme a plus d'un tour dans son sac pour se rappeler à notre attention. Mais plus on fait la sourde oreille, plus elle prend des moyens détournés et extravagants pour se faire entendre et plus il devient difficile de décoder son langage.

Nous pouvons l'oublier facilement, notre âme, quand elle devient trop douloureuse, trop menaçante, trop compliquée, trop exigeante ou trop vide. Nous pouvons préférer bouder, ou rager, ou nous éteindre, ou nous éparpiller en nous demandant ce qui nous arrive ou en trouvant un souffre-douleur.

Nous pouvons alors nous demander avec inquiétude pourquoi notre âme se terre ainsi au fond de nous. Qu'a-t-elle bien pu nous faire pour que nous l'oubliions et la repoussions au plus profond de notre être? Elle est bien comme le feu, fragile et peureuse, mais forte et dévorante. Il n'est pas facile de faire bon ménage avec elle. Mais, sans elle, nous ne sommes que des pantins inanimés.

Au fond, nous sommes notre propre piège, écartelant notre âme entre l'attrait du grand large et l'amarre que nous ne voulons rompre à aucun prix. Et notre âme *est* cet écartèlement. Elle est comme cette étincelle qui

37

crépite entre deux pôles opposés, quand on les place à la juste distance.

L'âme est cet arc de tension qui traverse un peu d'espace et un peu de temps, émergeant de la matière d'où nous sommes nés et dont nous continuons à naître à chaque instant, et retournant à la matière où nous nous perdrons, nous confondant à nouveau au chaos. L'âme est cette parcelle d'énergie structurée qui, le temps d'une vie, organise nos molécules en une forme humaine, tendue comme un pont entre deux rives qui sont nulle part. L'âme est cet équilibre fragile entre la matrice dont nous sommes issus et l'élan qui nous projette dans un espace inconnu, pour le meilleur et pour le pire. Mon âme est ce qui fait que je suis, et que je suis moi.

Chaque âme a une longue histoire, que l'on peut chercher à retracer patiemment (ou parfois avec beaucoup d'impatience), tantôt à la manière de l'archéologue, reconstituant la vie de la préhistoire à partir de quelques tessons de poterie, tantôt comme un physicien qui retrace de fugaces événements sub-atomiques à la sortie d'un cyclotron. Mais l'âme s'accommode mal des tentatives trop violentes pour la débusquer. Plus souvent, c'est en écoutant discrètement, d'une oreille intérieure, ses murmures, ses cris et ses chants qu'elle se laisse peu à peu élucider.

Pour chacun de nous, son origine se perd dans notre nuit des temps. D'aucuns prétendent qu'elle se confondait alors avec celles, plus grandes et plus fortes, de l'utérus qui nous a porté, du sein qui nous a allaité, des bras et de la peau chaude qui nous touchaient.

Bientôt un élan irrésistible nous expulsait du paradis perdu. Les sources qui nous abreuvaient s'avéraient capricieuses et il nous fallut apprendre à at-tendre. Les bras et la peau où nous trouvions la mort douce du retour se muèrent en frontières, en sémaphores, en panneaux de signalisation. Et notre âme se mit à s'éti-rer comme une corde de violon, tendue entre l'abandon au non-être et la douleur du déchirement.

Que son chant fût gai, ou doux, ou strident et impérieux, il n'était pas toujours bienvenu, il était par-fois insoutenable. Il fallut donc apprendre à le mettre en sourdine, à l'étouffer et à le camoufler. Il fallut apprendre à mettre notre âme en veilleuse.

On a voulu mettre notre âme en cage, la modeler, l'orienter, la canaliser comme si elle n'était qu'une ex-tension de la leur. Sans doute, sans cela, son feu se serait-il dévoré lui-même comme le serpent qui mange sa propre queue ou comme une immense explosion. Il ne fallait pas qu'elle se consume en un instant comme ces éclairs qui illuminent la nuit d'un jaillissement grandiose avant de se perdre dans leurs ramifications. Il a fallu apprendre à l'économiser.

Oh! nous avons pourtant essayé de nous y opposer. De toute la force de nos sphincters, nous avons essayé de dire non. Nous avons appris la rage froide et tenace de la petite sangsue aveuglément agrippée au corps de sa mère nourricière comme à une proie. Mais il a fallu aller où *elle* allait et, de rage, nous avons appris à resserrer la ventouse de notre morsure.

Alors nous avons décidé de grandir, de grandir sagement pour ne pas avoir à lâcher prise, mais de grandir suffisamment pour laisser de la place à notre âme. Nous nous sommes inventé une histoire, qui serait notre histoire, et qui servirait de scénario pour orienter notre vie, de plan directeur pour notre identité. Il nous faudrait devenir pape, ou savant, ou poète, premier ministre ou milliardaire, saint ou bandit ou putain, fonctionnaire ou porteur d'eau, Don Juan ou ermite: chacun y va selon son inspiration et selon la marge de manœuvre plus ou moins étroite que la vie lui accorde, toujours en prenant bien soin de ne pas perdre la sécurité de l'attachement profond à ceux qui étaient ses plus proches à l'origine de son existence. Et tout cela se trouve enterré à mesure dans la chambre forte de notre inconscient, scellant ainsi notre destinée.

Notre âme est prise au piège car elle veut remplir l'univers sans jamais quitter sa source. Mais telle est notre âme et il faut la sauver, à n'importe quel prix.

Nous ne comprenons pas tout de suite que c'est un piège. Plusieurs ne s'en apercevront jamais, tant l'édifice est bien cimenté. Nous réussissons pour la plupart à fignoler notre compromis personnel en un équilibre à peu près acceptable, qui ne s'avérera précaire que plus tard, et auquel nous donnons quelquefois le nom du bonheur. Nous parvenons souvent à édifier notre château de cartes à nous-tout-seul avec juste ce qu'il faut de soumission propitiatoire pour gagner notre place au soleil, pour conjurer les colères qui nous entourent, tout en entretenant les rêves qui permettent à notre âme de survivre en douce, au fond de nous-mêmes.

40

Mais il y a cette sorte de manque qui nous laisse en attente.

D'abord, nous avons le temps d'attendre: nous avons la vie devant nous. Un jour viendra où nous trouverons la solution à la quadrature du cercle, où nos rêves les plus secrets se réaliseront. — Et puis peu à peu, l'attente se mue en insatisfaction, en impatience, en irritation. Le temps file de plus en plus vite entre nos doigts. Nos élans et nos espoirs négligés ruent dans les brancards. Si nous n'y prenons garde, si nous essayons d'oublier ou d'étourdir le malaise, nos mécanismes de survie sonnent l'alerte, souvent par un symptôme quelconque: c'est l'amorce de la névrose, de la dépression, de la maladie psychosomatique.

Comme bien du monde, nous voilà dans cette crise de croissance dont nous sortirons meurtris ou grandis. Comme tout le monde, nous avons le choix de nous taire pour gueuler avec les loups et nous perdre dans la masse, ou de nous mettre à l'écoute de notre âme et d'entreprendre le grand ménage dans cette maison où nous accumulons depuis des années des miroirs poussiéreux qui ne se reflètent qu'eux-mêmes. Mais a-t-on vraiment le choix?

Comme l'arc électrique, l'âme jaillit d'un champ de forces opposées dont elle est à la fois issue et prisonnière. Une force protagoniste nous projette dans l'univers; les forces antagonistes nous enchaînent à la terre-mère.

Jaillir, se libérer de la gravité et de l'inertie: vieux rêve de l'humanité. Émerger du chaos, prendre forme et expansion. Tendre les lèvres, la main, puis les dents vers un horizon qui recule à mesure qu'on s'en approche: histoire de l'homme et histoire de la Vie.

Quelque chose en nous fait que ce bourgeon humain, qui comme un parasite tire sa subsistance du sang, puis du lait maternel, se différencie progressivement pour devenir ce chercheur d'absolu aux limites du péril de sa vie. Il a fallu, dès le premier jour, couper le cordon ombilical et respirer par soi-même l'air rèche, la lumière crue, les sensations rudes, les sons stridents, loin de la protection diffuse et liquide de l'utérus. Puis, dans les semaines qui suivent, apprendre patiemment ses membres, sa peau, le rayon d'action de ses lèvres, de ses mains, de son regard. Développer un subtil langage de sons et de signes avec ce sein, ces mains, ces yeux devenus une présence familière. Réinventer l'antique science de provoquer des sons et des jeux de lumières, surmonter l'angoisse des fragments d'univers qui disparaissent à l'horizon, encore si proche, de notre conscience, pour édifier la foi en la maîtrise et la permanence des choses. Il a fallu créer de toutes pièces une cohérence à ce kaléidoscope de sensations mouvantes pour en confectionner un monde saisissable par la bouche et par la peau, par les yeux, puis par l'image et par la pensée. Exercer l'habileté à se mouvoir, à se redresser au risque de se forcer l'échine, à se déplacer dans un univers toujours plus grand.

Et nous avons pleuré de rage, nous avons appris à dire «non!» lorsque la peur des autres mettait des obstacles à notre expansion, avant d'apprendre à dire «moi» et «je» et «je veux». On a assez dit comment le corps et l'esprit se meurent quand la distance affective est trop grande*; on a trop négligé de dire comment l'âme s'étouffe et s'étiole à se maintenir trop près du sol nourricier.

C'est dans le combat de titan entre cette volonté naissante et les multiples contraintes, tant intérieures qu'extérieures, que l'âme prend sa forme, mais pas encore sa trajectoire. Comme toute naissance, celle-ci se fait dans une crise, dans un déchirement. Il n'est assurément pas facile d'avoir deux ans. Naviguant entre Charybde et Scylla, le petit bout d'humain doit maintenir son cap — n'importe quel cap, pourvu que ce soit le sien — au risque de se résorber dans un retour au néant dont il vient d'émerger ou d'aller se perdre dans l'immensité du vide qu'il a devant lui. On a représenté l'enfant qui commence à se mouvoir par lui-même comme s'il était attaché par une sorte d'élastique au centre familier de son monde (sa mère, habituellement), mais c'est un élastique fragile, qui peut s'étirer jusqu'à la distension, parfois jusqu'à la rupture, ou se muer en glu si la distance est trop faible. (À ce sujet, comme à bien d'autres, je me suis toujours demandé par quel miracle de résilience la plupart d'entre nous réussissent malgré tout à survivre aux dilemmes posés par la vie.)

Deux forces antagonistes donc menacent la survie de l'âme naissante, l'une derrière elle, l'autre devant. Thanatos et Eros? Derrière elle, il y a le trou noir qui l'aspire vers l'anéantissement du retour à la source. La

---

* On connaît les observations de René Spitz et de John Bowlby.

mère originelle, telle cette divinité aztèque* qui est à la fois celle de la naissance et de la mort, la hantera de sa tête de Méduse qu'il ne faudra jamais regarder en face car sa seule vue nous retourne à l'état minéral. Sa fascination sera là avec nous pourtant jusqu'au jour où, dans cet univers courbe qu'est aussi celui de l'âme, nous irons nous y dissoudre par la mort. Devant, il y a le vide du grand large, et l'angoisse nous envahit devant cette infinité de possibles. Des profondeurs de nous-mêmes tant d'élans nous propulsent dans toutes les directions que nous avons peur de nous disloquer, d'éclater en mille morceaux.

Derrière, il y a *la fusion*, l'abdication de notre individualité, où l'on cherche tant à retrouver la sécurité de ses origines que l'on tente de se confondre avec les autres, de disparaître dans la volonté et dans l'affection d'autrui; devant, il y a *l'isolement* ou *la diffusion*, lorsque notre peur de perdre notre existence autonome nous fait éviter tout lien ou tout engagement. C'est entre ces deux pôles que l'âme s'étire, de la naissance jusqu'à la mort.

---

* D'origine Nahua, et reprise par les Aztèques avec le reste de la civilisation conquise, la déesse *Coatlicué* («celle qui porte une jupe de serpents») est la déesse de la terre, créatrice et destructrice, mère originelle des dieux (à l'exception du dieu-déesse suprême Ometeotl, qui s'est créé lui-même) et des hommes. Elle est celle qui matérialise l'esprit en un univers solide, formant ainsi la terre sur laquelle la vie peut se développer, fécondée par le soleil. Mais elle est aussi celle à qui toute vie retourne, celle qui se nourrit des morts et qui porte un collier de mains, de cœurs et d'un crâne humains. Elle est l'équivalent de la Gaïa grecque. Elle donna naissance en particulier à Quetzalcoatl, le Serpent à plumes, personnage central du panthéon des indiens d'Amérique centrale, et dont nous reparlerons.

Et puis il y a la «réalité», ce troisième antagoniste, qui viendra baliser la trajectoire de notre âme. La réalité de l'attente, quand le besoin se fait pressant et que le sein ou le biberon tardent à répondre. (Nous passons tous plus ou moins notre vie à attendre. — Mais quoi?) La réalité du pot de chambre, que Freud nous a si bien popularisée. La réalité des heures de repas, du fer dans les épinards qui est si bon pour la santé.

Il y eut bien d'autres réalités «qui forment le caractère», comme nous le répétaient nos parents et nos éducateurs. Il y eut la famille nombreuse «où l'on apprend à partager» ou bien notre situation d'enfant unique «où nous étions si choyé». Il y eut l'amour fraternel, oh! l'amour fraternel! Et l'amour juste et désintéressé de nos parents donc! La réalité des classes sociales, avec toute sa gamme qui s'étend de «noblesse oblige» à «né pour un petit pain». Il y avait aussi ces réalités plus subtiles, innommables, telles que la juste (et froide) distance à garder d'avec ceux qu'on aime, lorsque ce n'était pas celle des rapports plus ou moins ouvertement incestueux qui en ont mis plusieurs dans une toile d'araignée quasi inextricable. Il y avait, pour la plupart d'entre nous dans notre contexte culturel occidental, la futilité honteuse de tout ce qui risquait d'évoquer Eros, l'inexistence du mal (ou alors son omniprésence inquiétante), l'absurdité de la colère (la nôtre comme celle d'autrui).

Puis il y eut l'école, les exigences, les bulletins, les rangs deux par deux, les camarades qui réussissaient mieux ou moins bien que nous. Il y eut l'intermède de l'adolescence où, à la faveur du grand remue-ménage de nos glandes et de notre intelligence, nous avons eu cette chance de revoir le monde alentour d'un œil neuf, et nous avons rêvé d'en faire un monde meilleur, nous avons rêvé d'y trouver une niche à la mesure de nos aspirations et de nos idéaux.

Mais il a fallu redevenir «réalistes», choisir une orientation, composer avec nos limites psychologiques et économiques, avec la conjoncture du marché de l'emploi, accepter d'écarter toutes ces possibilités pour en choisir une seule qui fixerait notre profil de carrière pour tant d'années à venir. Et puis il était dans l'ordre des choses de se choisir un compagnon ou une compagne, d'avoir des enfants, de s'engager dans une hypothèque de trente ans pour acheter une maison... Que voulez-vous? c'est la vie...

La réalité a bon dos. Qu'est-elle, sinon un système d'intelligibilité et d'emprise fonctionnelle plus ou moins élaboré, plus ou moins nuancé, sur lequel un groupe de personnes s'entend suffisamment pour qu'il soit plébiscité à la dignité de l'Essence? Il n'y a pas plus de rapport, nous disent les physiciens, entre certains construits de la physique moderne et la «réalité», qu'il n'y en a entre les numéros de téléphone du bottin et les abonnés auxquels ils se rapportent. Il n'y a pas plus réel, pour l'enfant de huit mois, que la disparition dans le néant et la réapparition à l'existence du hochet que je lui cache, puis que je lui montre. À quel titre notre sacro-sainte «réalité» quotidienne serait-elle plus digne de confiance que les autres? Mais ceci est un vieux problème inextricable qui jalonne toute l'histoire de la philosophie, depuis les ombres de Platon.

Sans doute la structure même de nos récepteurs sensoriels et de notre système nerveux, ainsi que les archétypes de notre inconscient collectif qui en sont partiellement tributaires, nous amènent-ils à une certaine façon d'organiser le bombardement chaotique de stimuli qui, autrement, ne nous entraîneraient que dans la plus diffuse des folies; sans doute ce qu'il y a de commun dans l'histoire de chaque humain a-t-il donné lieu à quelques grands dogmes, plus ou moins explicités d'ailleurs, sur lesquels on a pu édifier une conception du monde suffisamment partagée pour permettre la vie en société. Ainsi avons-nous tous connu la rupture de la naissance, le besoin et l'attente de la satisfaction, la faiblesse dépendante face aux pourvoyeurs puissants et capricieux qui nous entouraient, pour projeter à notre tour, sur cet écran multiforme qui nous enveloppe, les concepts d'objet, de durée, de permanence, de causalité, d'autorité, et jusqu'à l'existence de Dieu. Ce que nous appelons «la réalité» n'est sans doute qu'un autre *mythe organisateur* qui nous permet de garder l'illusion d'un tant soit peu de consistance, de cohérence du monde*. Tous, nous avons eu à «créer» notre monde à notre tour, dans la grande lignée de la création collective par l'intellect humain qui, depuis des milliers d'années, poursuit le travail inlassable de donner une forme intelligible et vivable au chaos qui nous entoure.

---

* C'est ce postulat «idéaliste» (dans le sens philosophique du mot) qui justifie le mode de pensée analogique qui est adopté dans cet essai, ainsi que son style plus évocateur qu'explicatif. L'analogie ne prétend pas à autre chose qu'à remplacer un mythe par un autre qui est en consonance avec le premier. Et si ce mode de pensée est circulaire, car il donne pour vrai que la vérité est vaine (comme dans cet aphorisme des Crétois menteurs), la pensée logique pèche par pétition de principe, puisqu'elle postule l'intelligibilité du monde. (On en reparlera.)

Mais revenons à l'âme. Parmi tous ces écueils de réalité, il lui a fallu louvoyer pour trouver son chemin, ménageant toujours une prudente distance entre le néant et l'égarement. Il lui a fallu se donner une savante trajectoire pour éviter de raviver les déchirures anciennes et prévenir les meurtrissures nouvelles. Au plus profond de son secret, elle s'est donc donné un rêve, un mythe organisateur à elle seule, qui lui servirait désormais de plan de navigation. Qu'importe si ce rêve l'amène jusqu'au délire: ce n'est là qu'une question de coexistence plus ou moins possible entre ce rêve et la réalité publique. Sans le savoir, elle réinvente souvent l'un des grands mythes où, depuis des millénaires, l'expérience de nos semblables a condensé les thèmes majeurs de la survivance de l'âme.

L'âme est donc cette configuration mouvante (Gestalt), cette trajectoire particulière que nous nous sommes donnée pour satisfaire aux plus impérieux de nos besoins, entre la fusion et l'isolement, à travers l'histoire particulière d'un jeu de forces d'attachements et de séparations, cherchant notre chemin de survie et d'expansion dans le dédale de la «réalité». Elle est cette forme dynamique que nous tenons à garder intacte à tout prix, car elle est notre «individualité», même si nous nous y retrouvons à l'étroit, ou difformes, ou rigidifiés. Si un aspect important de cette forme est menacé, c'est la survie même de mon âme qui est en jeu et le danger de devenir un autre, de me perdre, d'être *aliéné*.

Il est dans la nature de l'âme d'être à la fois piège et piégée, prison et prisonnière. Pour exister, il faut prendre forme, mais toute forme est déterminante, donc délimitante. Et toute forme vivante cherche à maintenir sa structure, à survivre.

Survivre. Non pas par la survie du corps, que nous acceptons si facilement de mettre en péril pour toutes sortes d'obstinations aux prétextes apparemment futiles, mais par l'intégrité de ce qu'on sent confusément comme le centre de soi-même, ce petit noyau dur et irréductible que j'appelle l'âme. Suivre les traces de Gilgamesh, à travers les périls et les peines, à la recherche d'une vaine immortalité, ou celles du Bouddha pour se fondre, d'avatar en avatar, dans la grande âme de l'univers. De là à avoir fait de l'âme, pour l'usage du commun, cette petite chose invisible, intangible et décharnée qui nous serait donnée à un moment discutable de la gestation et qui doit un jour retourner contempler, pour l'éternité, le visage de son Donateur, il n'y avait qu'un pas de plus à franchir dans notre continuelle création du monde.

Avant de considérer la problématique survie de l'âme dans l'au-delà, dont nous pourrons nous reparler si jamais nous nous y retrouvons, je veux m'arrêter ici à évoquer quelques luttes pour sa survie dans l'immédiat. Je tirerai mes observations, toujours subjectives, tant de mon expérience personnelle que de celle des clients en psychothérapie que j'ai eu l'occasion d'accompagner dans l'exploration à la recherche de leur âme.

Mon propos n'est pas de décrire, encore moins d'analyser ou d'évaluer, le déroulement d'aucune psychothérapie complétée jusqu'à son terme (mais qu'est-ce qu'une psychothérapie «terminée»? — Je crois bien qu'on en discutera encore longtemps.) Je ne veux évoquer ici que des séquences, des moments de contact, où j'ai cru voir affleurer l'âme de façon plus sensible. La rencontre psychothérapeutique n'est pas la seule occasion, heureusement, où une âme peut se révéler à elle-même en se communiquant à l'autre, mais elle demeure pour cela, espérons-le, un lieu privilégié.

Toutes les histoires de cas rapportées dans les chapitres suivants sont véridiques. Seuls quelques détails sont maquillés, après entente avec les personnes concernées, afin d'en assurer l'anonymat.

Les extraterrestres

(Naître ou ne pas naître: *that is the question.*)

L 'idée n'est pas nouvelle: personne ne nous a demandé notre avis avant de nous mettre au monde. Bon gré mal gré, la plupart d'entre nous trouvent en arrivant dans la vie suffisamment d'espoir pour accepter de quitter la rampe de lancement. Quelques-uns se raviseront plus tard, à l'occasion d'une déception profonde ou devant l'impasse d'un piège qui se referme trop hermétiquement, et se donneront la mort comme dernier refuge.

D'autres semblent cependant n'avoir jamais pris le départ. Ils ont un corps qui se développe, qui se nourrit et qui effectue des mouvements; ils parlent, ils font des études ou un métier et pourtant, ils semblent ne pas *être là*. Leur âme est comme ces graines qui n'ont jamais reçu l'humidité et la chaleur nécessaires à la germination et dont l'apparence inerte cache une vie en attente. Ils appartiennent à un autre monde, là-bas loin dans les limbes, avec ceux qui ne sont pas encore arrivés sur terre, dans un monde d'extraterrestres.

Séléné et Constantin sont de ceux-là, qui attendent les conditions favorables pour venir au monde.

*

*   *

Je l'appellerai Séléné, à cause de son culte pour la lune. Ici encore, je ne raconterai qu'un épisode d'une psychothérapie qui n'est d'ailleurs pas terminée, et où l'âme de Séléné, pourtant si profondément enfouie, s'était révélée.

Lorsque je la rencontrai, elle avait l'air fragile de ces sarments qui percent la neige en hiver, nets comme un trait de plume et cassants comme le verre. Dans son visage aux traits tendus, au teint gris, son regard avait l'étrange absence pénétrante des yeux incrustés des statues grecques. Sa respiration était imperceptible: son métabolisme basal devait friser celui d'un animal en hibernation. (Je parle au passé, car elle m'est revenue, après les vacances d'été, avec une mine, toutes proportions gardées, resplendissante!)

Le contact avec Séléné est ardu, et il le restera longtemps. Mais elle m'inspire une affection qui me rend infiniment patient (pas encore assez, cependant) et attentionné. Presque chaque fois qu'elle entre dans mon bureau, un sourire l'effleure, puis elle fige de la tête aux pieds, perdant d'un même coup tout mouvement, sensation, émotion ou pensée. L'âme de Séléné est comme une flamme bleue, saisie par le gel.

Séléné avait été initiée à la pratique des *mandalas* par une personne de son entourage. Il s'agit d'une technique de méditation, de centration ou d'exploration de soi qui consiste à se laisser aller à dessiner dans un cercle, sans aucune idée préconçue, en suivant à mesure ses impulsions spontanées dans le choix du crayon et dans le mouvement de la main qui le tient. (Le lecteur trouvera en annexe des indications plus détaillées qui lui permettront d'utiliser lui-même cette technique.)

Les mandalas nous servirent souvent de moyen de communication dans une relation où il fallut patiemment réinventer un langage pour nous permettre, peu à peu, de nous rejoindre. Je me souviens particulièrement de deux mandalas des débuts. L'un représente deux personnages stylisés; celui de gauche ressemble à

un Pierrot dont on ne verrait que la coquille, l'apparence; celui de droite, auquel elle s'identifie, est un bibelot de glace ou de cristal. Un autre mandala symbolise pour elle une bouche dont il ne sort qu'une nuée de bulles.

Un jour, elle m'apporte un mandala «gai». On y voit plusieurs objets superposés: en bas, il y a une rondeur; au-dessus, une sorte de chaîne, mais faite d'une matière ouatée; puis il y a une étoile, et tout en haut, un cerf-volant bariolé. Poursuivant le patient travail d'édifier le contact, avec elle-même comme avec moi, j'invite Séléné, debout, à s'appuyer sur moi, alors que je me tiens derrière elle. Son poids sur moi n'est qu'un effleurement. Presque imperceptiblement, d'abord, le mouvement me vient de la bercer. En fantaisie, Séléné se voit comme le cerf-volant de son dessin, flottant sur la brise. Le cerf-volant s'élève, et Séléné entreprend de me raconter son voyage. Par-dessus les villes et les champs, il s'approche de la côte et s'en va, survolant l'océan. Il arrive en vue d'une île déserte, où doucement il se pose. Et Séléné se laisse choir au sol, sans heurt. Je suis ému aux larmes, car pour la première fois je sais que j'ai touché l'âme vibrante de Séléné.

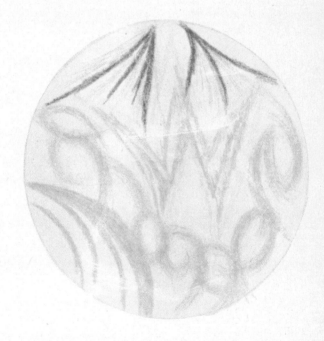

Mais aussitôt, le charme est rompu: Séléné coupe le contact et se raidit à nouveau. «Il y a trop de choses qui me trottent dans la tête», me dit-elle. Et je sais que ces choses-là sont, pour le moment, innommables.

Quinze jours plus tard (nous ne pouvions nous revoir plus tôt), Séléné m'apporte une feuille de papier roulée, nouée d'un ruban rose. C'est un mandala qu'elle me donne en cadeau, par reconnaissance, «parce que, me dit-elle, je n'avais plus dessiné depuis que j'ai quitté l'école». Le dessin représente une «lune d'automne», voilée de nuages transparents. Séléné m'apprend qu'elle se sent beaucoup mieux depuis quinze jours. Puis, c'est un long silence... «C'est compliqué, le silence»... «Au fond, c'est bien le silence»... «Pourquoi faut-il toujours demander une permission, une approbation?»

Dans les semaines qui suivent, Séléné revit comme elle n'a sans doute jamais vécu: elle voit un tas de monde, elle fait un tas de choses, elle est amoureuse (d'un amour qui finira d'ailleurs bientôt tristement, ce qui déclenchera une nouvelle et longue éclipse de sa vitalité). Elle me lit un texte, destiné à son amoureux, où elle reprend presque les mêmes mots qu'elle adressait naguère dans un poème à la lune: «Tu me réchauffes, tu me donnes la vie...»

À notre dernière rencontre avant l'interruption des fêtes de fin d'année, elle m'apporte deux cadeaux, soigneusement emballés. Le premier paquet contient un grand cerf-volant aux couleurs de l'arc-en-ciel (il décore mon bureau, chez moi); le deuxième contient le cordon de nylon pour tenir le cerf-volant (je l'ai rangé, car je ne sais pas encore qu'en faire, dans l'état actuel

de ses liens si fragiles avec moi, et avec la terre-mère).
En me donnant les cadeaux, elle me dit: «Je célèbre une
naissance…: la mienne.»

*

*   *

Constantin descend d'une de ces familles slaves qui
ont erré à travers l'Europe avant de se retrouver au
Nouveau Monde, en gardant toujours cette qualité de
nostalgie qui leur est particulière.

Je ne l'ai rencontré que quelques fois. Sortant à
peine de l'adolescence, il se plaignait d'avoir perdu tout
élan, toute émotion et toute vitalité depuis que sa famille avait quitté la terre de sa naissance et de son
enfance, il y a quelques années, pour venir s'établir au
Québec, l'arrachant à ses amis et à ses lieux familiers.
D'après lui, son extinction d'âme vient de là; il ne se
doute guère qu'elle lui vient de tellement plus loin!

Je le centre immédiatement sur son expérience
corporelle, l'invitant, debout, à faire le tour de ses
sensations intérieures*. Sa respiration est ardue, su-
perficielle, bloquée au niveau de l'estomac. Il se sent les
pieds, les jambes, le cou tendus, «crispés comme pour
ne pas tomber, pour ne pas m'écrouler». Je l'invite à se
laisser crouler à terre et à me faire part des images qui
lui viennent… «Je me sens dans une grande bulle

---

* Notre expérience corporelle n'est qu'une autre facette de notre
âme. — Ou devrait-on dire que notre âme n'est qu'une autre
facette de notre expérience corporelle? Nous y reviendrons au
chapitre suivant. Notons seulement que nos sensations corporelles peuvent constituer, en psychothérapie, une porte d'accès à
notre vécu au même titre que nos fantaisies, nos émotions, nos
rêves, etc.

noire… Il n'y a rien d'autre, il n'y a personne, seulement moi, recroquevillé dans cette bulle… Il y a des souvenirs qui viennent, des souvenirs du pays de mon enfance, et puis comme une douleur… Mais je ne peux pas pleurer devant un étranger. Je n'arrive pas à croire que les autres ont un cœur… je ne peux les voir que comme des machines.

La semaine suivante, je l'invite immédiatement à se coucher à terre à nouveau, en position fœtale, tandis que je lui masse doucement la nuque. Constantin se retrouve bientôt dans sa bulle. «C'est étrange, me dit-il, je me sens bien, il y a comme une paix; seules tes mains et ta voix sont là avec moi, dans le grand vide où je suis.» Lorsqu'il sort de son fantasme, il se sent tendu à nouveau, et ne voit que les obligations et le stress de la vie. Cela le touche quand je lui dis que je me sens maternel avec lui, mais il ne peut se laisser aller à son émotion: «J'ai beaucoup pleuré, les premiers temps, après qu'on soit arrivés au Canada. Mais je n'avais personne auprès de qui je pouvais pleurer, alors je pleurais tout seul et je me retrouvais démoli, à terre.»

À notre troisième rencontre, il me raconte avec enthousiasme comment il a passé la journée d'hier à se promener dans le parc du mont Royal avec une copine, à jouer comme des enfants, à retrouver le plaisir du contact avec quelqu'un. Il a entrepris des démarches pour s'inscrire à l'université, ce qu'il avait négligé depuis longtemps, au désespoir de son père. Nous repartons de son vécu corporel: il se sent immobile, mal à l'aise, craint d'être ridicule. Il sait quelle est la solution pour sortir de ce malaise: bouger. Mais il a les bras «morts». Je lui passe une serviette, en l'invitant à jouer avec: il se met à la tordre de plus en plus fort, «comme pour la mettre en pièces, me dit-il, mais je sais que je n'y arriverai pas, elle est trop solide, c'est seulement un jeu!» — Il me quitte souriant, en me disant qu'il est heureux de ce qu'il découvre ici.

Lors d'une rencontre subséquente, il m'apprend qu'il a «mal au foie» depuis que son père lui a parlé pour le presser de compléter ses démarches d'inscription à l'université, qui ne sont guère avancées. Il me raconte un rêve récent, où il se voit dans la maison de son enfance. Mais la maison est complètement vidée. Son père et une amie apparaissent dans la maison. Constantin se souvient qu'il pleurait amèrement dans son rêve. «Mais maintenant, me dit-il, je ne peux plus pleurer parce qu'on m'a appris que c'est con de pleurer.» Puis: «J'ai le goût de jouer.» Je propose un dessin collectif. Nous dessinons de concert, mais Constantin n'apprécie guère mon apport au dessin, car je viens déranger ses projets, je fais «de l'interférence». Irrité, il abandonne et se sent mal à l'aise «comme à l'école, où on ne sait jamais quelle connerie le prof va nous faire faire!» À nouveau, l'agressivité commence à poindre et je vois venir toute la phase d'opposition que nous aurons à vivre avant que Constantin ne retrouve toute la possession de lui-même. Mais allons-y en douceur: il est trop tôt encore.

Déjà c'est la sixième rencontre, et nous faisons le bilan, comme convenu. (Quand je rencontre un nouveau client pour une psychothérapie, je propose toujours une période de «probation» de quelques semaines, afin de vérifier de part et d'autre si nous réussissons à établir un contact suffisamment significatif pour que la poursuite nous apparaisse prometteuse.) Constantin est d'accord pour poursuivre, s'il y a des chances qu'il puisse ainsi retrouver son goût de pleurer, qui est bloqué. Il enchaîne avec une sorte de mélopée de souvenirs et d'associations nostalgiques et il observe comme il est porté à s'isoler, à se retirer, plutôt que de se forcer à aller vers le monde.

Quelques jours plus tard, il me laisse un message pour annuler le prochain rendez-vous. Lorsque je le rejoins, il m'apprend qu'il est allé à une séance d'information sur la thérapie du *rebirth** et que ça l'intéresse de poursuivre plutôt dans cette voie. Constantin n'est pas encore prêt à faire face à la vie, il lui faut d'abord venir au monde.

Plus tard, j'ai eu des nouvelles de Constantin par un collègue avec qui il a repris sa thérapie après être déménagé dans une autre ville. Tout va bien, semble-t-il, et Constantin poursuit le lent apprivoisement du contact avec lui-même et avec les autres.

*

* *

Séléné et Constantin illustrent en quelque sorte les deux pôles du tiraillement de l'âme: Séléné se trouve isolée dans le froid et l'éloignement, perdue dans l'espace comme ces corps célestes où elle retrouve son image. Constantin cherche désespérément à retrouver

---

* Rebirth: technique de psychothérapie où l'on provoque, par des exercices de respiration (hyperventilation), une sorte de transe par laquelle le sujet serait amené à revivre sa naissance.

la chaleur utérine, au risque de s'y perdre. Mais tous deux échouent à établir un vrai contact, où l'on est à la fois une personne séparée, autonome, *et* reliée affectivement aux autres. Tous deux poursuivent, en thérapie, un cheminement où ils apprennent à concilier ces deux extrêmes, laissant ainsi se déployer leur âme.

Le corps dépotoir

Il n'y a pas une telle chose que l'esprit, ou le psychisme, ou l'âme, qui se trouverait *dans* un corps. Il n'y a pas plus de distinction entre le *soma* et la *psyché* qu'il n'y en a entre une surface et sa couleur, entre la matière et la forme du cendrier que j'ai devant moi, entre la «substance» (?) et la trajectoire d'un éclair qui zèbre le ciel: la «distinction» est le produit de l'analyse abstraite que je fais de ma perception. Il n'y a que la surface-bleue de ce mur, le cendrier-en-cristal, l'éclair qui n'est ce qu'il est que parce qu'il s'étend entre deux pôles de tension inégale. Il n'y a que ce *corps vécu* que je suis et qui ressent et qui agit, qui souffre ou qui jouit, qui se meut avec plaisir ou qui forme des nœuds durs et insensibles là où je n'ai pas réussi à laisser circuler librement le flux de ma vie, de ma douleur et de mon plaisir.

Je crois que nous sommes sur une fausse piste lorsque nous prétendons que les maladies dites psycho-somatiques (le trait d'union séparateur me semble ici de rigueur) sont «des maladies physiques découlant de causes psychiques». Comme si le «psychisme» pouvait ne fût-ce qu'exister sans être incarné et comme si la machine somatique pouvait fonctionner sans qu'elle ne soit «animée». Il devrait pourtant être évident que j'aime avec ma bouche, ma peau, mon tube digestif, mes mains, ma respiration et, plus tard, mon appareil génital; que je hais et que je combats avec les mâchoires, les sphincters, les spasmes d'un estomac trop ou mal chargé, l'adrénaline qui me fouette le sang et mes membres qui peuvent «aller vers» (a-gresser) l'ennemi. Il est aussi évident que si je bloque mon amour ou que j'empêche mon agression, ce sont mes muscles, mes viscères, mes glandes qui encaissent la répercussion des impulsions contradictoires.

Il n'y a pas un seul de mes clients qui n'ait de symptômes «psychosomatiques». La facette corporelle de leur mal de vivre varie énormément dans son intensité et dans sa nature, d'une personne à l'autre et d'un moment à l'autre chez la même personne. Certains, souvent référés par leur médecin après de savants, onéreux et pénibles examens de l'arsenal moderne de la médecine, vont voir le psychothérapeute sur la foi de l'hypothèse que leur mal est sans doute «d'origine psychologique»: ils viennent tout simplement se remettre entre nos mains pour se faire réparer par un autre spécialiste qui aura, espèrent-ils, le truc qui rétablira le fonctionnement de la machine. (Ceux-là se découragent d'ailleurs très vite d'une psychothérapie qui fait appel à leur responsabilité de leur propre démarche.)

D'autres, qui ont moins perdu contact avec leur corps, gardent une conscience plus claire de la nature expressive ou signifiante de leurs maux physiques. Ils ont constaté comment leurs céphalées ou leurs nausées se présentent dans des circonstances particulières, là où une gêne ou un coinçage situationnel se mue en tension, puis en malaise physique. Ils ont souvent appris à se servir des ces «signaux», un peu à la manière du clignotant sur un tableau de bord, pour mettre en branle une tentative d'identifier et de résoudre le problème vécu que leur symptôme signale. On n'a cependant jamais l'expérience immédiate, «par l'intérieur» de la signification d'un mal psychosomatique: le corps sert de voie de garage ou de dépotoir pour éliminer du champ de l'expérience subjective un conflit ou un malaise qui nous apparaît par trop pénible ou insoluble pour le garder clairement devant les yeux. Lorsque la signification de la réaction corporelle demeure (ou redevient, au cours de la thérapie ou par d'autres circonstances) accessible à l'appréhension immédiate, le «symptôme» disparaît (à moins que, devenu chronique, il n'ait eu le temps de provoquer une modification dans la structure même des tissus, comme dans le cas d'ulcères par exemple): la céphalée se mue en rage contenue, la faiblesse en découragement, la nausée en dégoût, etc., en dévoilant de façon plus ou moins complète les émotions impliquées, la situation qui en est l'objet et les sensations et mouvements musculaires qui les matérialisent.

En psychothérapie, cette conception de l'organisme qui *est à la fois* un corps et une âme peut nous guider pour nous donner accès, et parfois de façon spectaculaire, aux nœuds dans lesquels une personne se débat. La simple invitation à se laisser aller, à s'abandonner à ses tensions ou à ses douleurs plutôt que de se durcir contre elles, ou encore, l'exacerbation des malaises corporels par certains exercices ou positions tels que ceux qu'on utilise en bio-énergie, permettent quelquefois à notre corps de livrer le message significatif qu'il tentait jusque-là de nous crier vainement par une douleur, une insensibilité ou un symptôme apparemment absurdes.

Limitons ici ces remarques un peu plus théoriques pour revenir à un fragment d'histoire d'une âme incarnée aux prises avec son problème de survie.

«Je me vois dans un monde de femmes. Elles sont belles et portent des armes. Elles sont vêtues comme dans un film de science-fiction. Elles s'approchent de moi et me caressent... Mais je ne peux le supporter. Il faut que je les haïsse. Je les hais parce que je sais qu'elles vont me rejeter. Elles vont me haïr parce qu'elles vont découvrir que je les ai trahies. Alors je m'en vais, tout seul, et je suis triste... mais j'aime cette tristesse.»

C'est Maurice, trente ans, qui m'est arrivé, cette fois-là, en se plaignant de tensions aux mâchoires et au diaphragme. Sa respiration étant toute comprimée entre ces deux zones de tension, j'avais commencé par l'inviter à un exercice d'ouverture qui consiste à arquer le corps en arrière sur le chevalet de bio-énergie (un peu comme on fait «le pont», en gymnastique). Ce faisant, il avait pu crier la rage qui émergeait, puis sentir la vague bienfaisante de sa respiration s'étendre jusque dans l'abdomen. Après, il était resté assis à terre, l'air inquiet, comme s'il se trouvait égaré dans un monde inconnu où quelque chose de terrible peut survenir. À mon invitation de se laisser aller à une fantaisie à partir de son attitude corporelle, il me produit l'histoire d'amazones que l'on vient de lire.

Maurice m'avait été référé par son médecin, après une série impressionnante d'examens de spécialistes variés (toujours avec des résultats «négatifs»). C'est immédiatement après le départ de son amie, avec qui il vivait depuis quelques années, pour un voyage d'études à l'étranger, qu'il avait commencé à éprouver un engourdissement de la main droite, «comme si elle allait paralyser» (Maurice est artiste graveur, et droitier), ainsi que des maux d'estomac, une faiblesse générale; plus tard, ceci avait évolué en palpitations et tachycardie, avec panique d'en mourir, en douleurs abdominales, etc. Le mal devint progressivement plus chronique. Quelques mois plus tard, à la suite d'une nouvelle séparation d'avec son amie qui était revenue passer quelques semaines au pays, il fit ce qu'il appelle une «crise d'angoisse» mais qui m'apparaît plutôt, à la description, comme une crise de rage du désespoir, presque un équivalent de suicide: il erre comme un fou dans la ville, déterminé à «tout laisser tomber» et à aller s'installer dans une petite ville de province pour recommencer sa vie en faisant n'importe quoi sauf de la gravure.

Après avoir épuisé les ressources de la médecine, il avait commencé une psychanalyse, toujours sur la recommandation de son médecin, mais il avait abandonné bientôt après que son psychanalyste fut resté de glace pendant que Maurice fut envahi par une crise de tachycardie inquiétante alors qu'il était étendu sur le légendaire divan.

Lorsque je rencontre Maurice, j'ai souvent l'impression d'avoir devant moi deux personnes différentes. L'une parle d'abondance, avec une clarté, une finesse remarquables, et fait preuve d'une compréhension de sa propre histoire personnelle et de ses états d'âme qui est parfois hallucinante de pénétration. L'autre ne peut que se plaindre de symptômes physiques vagues, sur lesquels il n'a aucune emprise. La connexion entre les deux ordres d'événements, qui est si évidente pour l'observateur extérieur, lui échappe habituellement, sauf lorsqu'il se pose lui-même en observateur devant les coïncidences entre certaines circonstances de sa vie et l'apparition ou la réapparition de ses symptômes. Sans doute nous donne-t-il la clef de ce clivage lorsqu'il dit: «Au moins, quand je me sens malade, ça me donne l'avantage d'arrêter de penser!»

Au début, Maurice me parle surtout de l'affection de son père, qui lui a toujours manqué et qu'il regrettera toujours (il est décédé il y a deux ans), parce que son père était viril et actif alors que lui-même était délicat, sentimental et rêveur. Bientôt, un autre thème prendra le dessus: sa profonde rancœur contre sa mère, car c'est elle qui se serait interposée entre lui et son père. Maurice rapporte comment sa mère lui racontait froidement qu'il avait parlé tard, car elle n'avait pas le temps de s'occuper de lui et de lui parler. Par la suite, lorsque sa mère l'entreprit sur ce point, ce qui importait surtout était de *bien* parler. Comme bien d'autres, Maurice apprit que si l'on ne peut obtenir l'affection, on peut toujours se rattraper en essayant de forcer l'admiration: quelle illusion! Sa mère, se souvient-il, exigeait beaucoup et ne donnait rien. D'aussi loin que lui remontent ses souvenirs, il revoit son immense besoin d'amour et l'absence de réponse, qu'elle vienne de sa mère, de son père, de son amie, de son public, ou de Dieu (qui a toujours occupé une place importante dans ses rêveries compensatoires). Lorsqu'on aborde ce thème, surgit la nostalgie de cette solitude triste mais sereine qu'il éprouvait, enfant, en se tenant tout l'été au bord du fleuve, et qu'il cherche désespérément à retrouver dans la spiritualité et dans un esthétisme graphique purement formel. Dans sa famine affective, ce qu'il a connu de plus ressemblant à un contact affectueux, c'est cette nostalgie solitaire. Et c'est là qu'il cherche refuge lorsqu'il a besoin de consolation.

Un jour, il m'arrive en rapportant fébrilement les malaises (faiblesse, tachycardie, angoisses) qu'il éprouvait la veille en se promenant avec S., sa nouvelle amie auprès de qui il trouve du réconfort, mais à laquelle il essaie de ne pas trop s'attacher par crainte d'une nouvelle déchirure. Je l'invite à s'étendre et à se détendre et je lui donne doucement un massage à la tête, à la nuque, aux épaules. Ce contact l'apaise, mais l'inquiète un peu car il y associe sa crainte de l'homosexualité. Je le rassure sur ce point: de telles inquiétudes se superposent souvent à un besoin indifférencié et très profond de contact et de tendresse (en langage psychanalytique, on parle de besoins «prégénitaux»). Le calme revient, puis se mue en rage, qui s'associe à la peur d'être abandonné (par S., par moi). Je l'invite à exprimer sa rage en tordant une serviette enroulée et en se laissant émettre un son à l'expiration; bien vite, son cri rauque s'évanouit et Maurice se met à se fredonner une berceuse. À nouveau, la paix et le bien-être s'installent. Mais pas pour longtemps: Maurice redevient hyperconscient de son cœur, qui bat la chamade*, et c'est la panique. Il se relève, se «ressaisit» — c'est-à-dire qu'il redevient tendu, insensible et maître de lui — et me parle de son projet d'aller voir la tombe de son père au cimetière, ainsi que d'aller voir sa mère dans l'espoir de «se sentir aimé au moins une fois».

Maurice est incapable de trouver un bien-être plus que fugace dans ses contacts avec autrui. Dès que son immense besoin trouve un peu de réponse, sa panique du rejet, de l'abandon et de la mort prend le dessus. La rage qui surgit alors doit être étouffée à tout prix car elle ne peut qu'exciter la haine de ceux dont il a telle-ment besoin de se sentir reçu. Il ne reste que la soli-tude, où son âme trouve un fragile et mélancolique équilibre. Le corps de Maurice exprime à la fois la menace de la mort (le cœur, les faiblesses), la rage contenue (sa rigidité) et l'inepsie même de son refuge dans un esthétisme graphique qui est un exil (la perte de sensibilité de la main).

La rage et le refus d'être délaissé trouvent cepen-dant un autre exutoire. D'aussi loin qu'il se souvienne, Maurice se rappelle ses fantaisies sadiques où le reli-gieux se mêle à la hargne contre tout ce qui symbolise, dans le domaine spirituel, son abandon: le Christ en croix, les vierges martyres et d'autres de ce genre peuplaient le monde désolé de ses premiers émois éro-tiques. Plus récemment, alors que le cours de la psy-chothérapie l'amène à risquer d'exprimer davantage sa

---

* Petit Robert: *Chamade:* appel de trompettes et tambours par lequel les assiégés informaient les assiégeants qu'ils voulaient capituler. (Amusant, non?)

colère accumulée, il refuse les tentations qui lui viennent de se sentir faible et pitoyable pour mériter la commisération de ses proches, particulièrement de ses amies; il veut se sentir fort, prend plaisir aux exercices physiques qui demandent de l'endurance et aime se voir provocant avec les femmes et leur faire l'amour avec un peu de violence: «Je n'ai pas besoin de tendresse, dit-il, j'ai besoin de me battre avec une femme... Le sexe, c'est une façon moins engageante d'être touché: c'est moi qui peux prendre le dessus.»

Maurice a toujours vécu dans un monde de femmes (si l'on excepte son père, qui l'ignorait, et ses collègues, avec lesquels il entretient des relations très réservées). Il a la sensation confuse d'avoir «lésé» sa mère en naissant et que celle-ci lui en a toujours voulu secrètement. Il éprouve beaucoup de haine à cause de la fausseté de la relation que sa mère entretenait avec lui. En naissant, et en naissant mâle dans un monde d'amazones, il avait trahi, comme dans sa fantaisie des femmes armées aux caresses insupportables.

L'âme de Maurice est prisonnière d'un piège nommé nostalgie. Il ne peut garder intacte son illusion de contact que dans l'absence. Mais la solitude ne nourrit pas son homme. L'anachorète le plus déterminé a besoin d'aller aux provisions, de temps à autres, d'affronter sa mysanthropie et de se résigner à avoir besoin des autres. Chemin faisant vers la cité des hommes et des femmes, il retrouve son avidité, ses peurs, sa colère. Alors il peut faire ses achats à la sauvette, pour retrouver au plus tôt la paix de ses rêveries solitaires. Ou il peut se déclarer malade et chercher refuge dans la pitié des bonnes sœurs de l'hospice. Ou encore, il peut s'attarder sur la place publique, pour constater que ses semblables sont moins bons que dans ses aspirations, mais meilleurs que dans ses craintes.

Immobiliser

le balancier

J'ai connu Hélène dans un groupe de travailleurs sociaux que j'initiais à la méthode d'éducation de Thomas Gordon*. Il n'est sans doute pas indifférent de noter que le thème central de cette théorie est une espèce d'utopie sur la façon de concilier en tout les besoins subjectifs de deux personnes en relation, tout en favorisant le plein épanouissement des besoins et des sentiments de chacune (particulièrement dans la relation entre parent et enfant). Hélène était dans la vingtaine et semblait, dans le groupe, se débrouiller avec une désinvolture qui n'enlevait rien à son charme.

Elle revint me voir en consultation six mois plus tard, pour me demander si elle pouvait me rencontrer de temps à autres, au besoin, pour certains problèmes situationnels qu'elle rencontrait. J'appris qu'elle avait

---

* Thomas Gordon, *Parent effectiveness training.* New York, P. H. Wyden, 1970. Traduit sous le titre affreux de «Parents efficaces» (Éditions du jour 1976).

suivi, pendant trois ans, une thérapie qui avait été interrompue pour des raisons d'ordre pratique. Cette thérapie lui avait permis de «sortir de son cocon», elle «y était venue au monde», mais elle en avait gardé une grande peur de rester ou de devenir *dépendante*. Ce qui l'avait attirée chez moi, c'est ma manie, très gordo-nienne d'ailleurs, de dire: «ça, c'est *ton* problème», chaque fois qu'une personne rencontrait un obstacle qui ne concernait que la satisfaction de *ses* besoins. Elle me parla de son père qui était en danger de mourir depuis plusieurs mois et de sa mère pour qui elle éprouvait un profond écœurement; la dépendance qu'elle craignait tant consistait à se mettre à «jouer à la mère» auprès de l'autre personne. Elle constatait qu'elle coupait les liens avec amis et amants dès que cette menace de «dépendance» devenait trop marquée. Elle rêvait d'une relation avec un homme, où elle ne serait pas obligée d'être la plus forte, mais la craignait tout au-tant. Tout en dénonçant sa demande comme un subter-fuge pour contourner son ambivalence concernant la «dépendance», j'acceptai de la revoir sur demande.

Elle revient un mois plus tard avec une complainte qui, malgré les termes techniques du métier, demeure vague: elle sent que son surmoi l'envahit. Des émotions fugaces, un goût de pleurer qui ne débouche pas, quel-ques sensations de sommeil ou de douleurs abdomina-les, une répugnance à se sentir regardée: autant de pistes qui s'évanouissent dès que je l'incite à y porter son attention. Quand je l'invite à se détendre pour laisser monter à la surface de sa conscience les bulles de son expérience intérieure, en lui offrant le contact de ma main pour affirmer ma présence, elle pense à son père qu'elle voudrait haïr parce qu'il n'était pas tendre; mais elle ne peut, puisqu'elle l'aime… Je lui propose de reprendre la thérapie sur la base plus régulière des entrevues hebdomadaires, cherchant à créer des conditions plus favorables à l'émergence des émotions latentes; elle accepte avec hésitation, en essayant de négocier un contrat qui m'obligerait à la mettre à la porte au bout de six mois au plus tard! Je lui offre, comme je le fais d'habitude avec un nouveau client, une période de probation mutuelle de deux mois, après quoi nous ferions le point sur l'opportunité de poursuivre.

De février à juin, je me mets en patience de l'apprivoiser. Elle me fait penser à ces écureuils qui s'approchent furtivement pour cueillir, du bout des dents, la cacahuète qu'on leur tend et qui s'enfuient aussitôt, trop farouches pour se laisser caresser. Toute invitation trop pressante à se laisser baigner dans son propre état d'âme, toute tendresse trop brusque de ma part, toute incitation surtout à pratiquer tel exercice susceptible de donner une forme plus saillante à ses émotions, butent sur une prudente retenue, qui s'exprime tantôt par un passage au niveau des grandes considérations théorico-psychologiques, tantôt par la disparition pure et simple de l'émotion qui affleurait, tantôt par le mutisme ou par un refus catégorique. Elle me parle de la violence qui régnait dans sa famille, de son ambivalence envers son père, de son amant, marié, qui la traite en seconde, de sa haine des hommes qui ne s'intéressent à elle que pour le sexe et qui ensuite «la rejettent comme une vieille chaussette usée», de ses symptômes et fantasmes corporels: étourdissements, maux de dos, impression de faiblesse dans ses jambes qui sont «comme de trop». Je l'initie à quelques exercices bioénergétiques que je lui fais pratiquer régulièrement pour la mettre plus à l'écoute de ce que son corps a à lui dire sur son âme et pour lui faire ouvrir la respiration, qu'elle arrête dès que quelque chose se met à palpiter en elle.

La première fois que je la fais travailler en maillot, afin d'utiliser davantage les pistes corporelles qui s'offrent à l'exploration, elle se sent mal comme pour exploser et, malgré sa bonne volonté pour suivre mes instructions de détente, tout son corps se bute et se fige. La peur l'envahit, mais aucune expression ne passe ses lèvres. (Ses gestes pétrifiés crient pour elle: «Va-t'en!» — «Laissez-moi tranquille.») À la fois détachée comme un commentateur qui décrit un événement à la radio, elle m'informe de son incapacité à émettre le moindre son qui jaillirait de ses émotions et de la haine envers moi qui l'habite, «comme chaque fois que quelqu'un s'approche d'elle et qu'*elle* se sent plus proche».

Au bilan de deux mois, je m'engage à poursuivre la thérapie avec elle, tout en exprimant ma réticence pour un autre contrat limité dans le temps. Elle hésite, exprime un peu de colère et quitte, indécise. Quelques jours plus tard, elle m'appelle pour m'aviser de sa décision de poursuivre.

À la rencontre suivante, où elle se présente avec dix minutes de retard, je l'invite à se promener dans mon bureau pour s'arrêter à l'emplacement qui la situera à la juste distance envers moi. (Je disposais alors d'un local de travail que j'aimais beaucoup, et qui était formé d'un de ces salons doubles longs et étroits que l'on trouve partout dans les vieilles maisons de ville; en progressant de la fenêtre, à l'avant, jusqu'au fond, on passait par trois aires différentes, marquées respectivement d'une table de travail encombrée de dossiers et de livres, de deux fauteuils droits séparés par une petite table basse, puis d'un matelas et de gros coussins éparpillés sur le tapis. Les dimensions et la répartition de l'espace permettaient de jouer à loisir sur les distances et sur le degré d'intimité dans les rapports avec mes clients.) Invitée à matérialiser consciemment sa proximité ou son éloignement avec moi, Hélène hésite, trouve la situation ridicule, dénie toute signification à ce jeu, bloque et serre les poings; lorsque je lui fais remarquer ceci, l'envie lui prend de s'en aller, elle ramasse ses affaires, hésite, puis s'étend recroquevillée sur le tapis; elle réprime une envie de pleurer, respire à peine (comme un noyé qui remonte prendre une bouffée d'air avant de couler à nouveau) et reste tout embrouillée dans la confusion de ses émotions. Je sais maintenant que si je fais le moindre geste pour m'approcher, si je prononce la moindre parole, je ne réussirai qu'à effaroucher la bouffée d'âme qui surgit.

Dans les semaines qui suivent, le spectre prendra des formes et des couleurs multiples, mélange de brumes, de flammes et de fumées. Le cafard, la peur, le froid, la colère, le besoin d'être prise, d'être bercée, puis la peur et la colère à nouveau, les états d'âme se fondent les uns dans les autres pour reprendre leur cycle encore et encore.

Un jour, elle se sent comme le bébé que, dans un rêve, elle fit naître à sa sœur cadette (celle qui était belle, fine et aimable): et je l'entoure et je la berce comme une mère. À la rencontre suivante, elle m'apprend comme elle s'est sentie mal toute la semaine à la suite de notre dernier contact et exprime à la fois le désir d'être proche de moi. Je l'invite à s'étendre pour laisser émerger librement tout ce qui lui montera à la conscience: elle se sent fébrile, anxieuse, elle ne sait pas trop comment elle se sent, sinon que c'est inconfortable et que son corps lui tiraille de partout. «Qu'est-ce que ça évoque?» — «C'est comme quand je fais l'amour et que je suis en dessous... impuissante, incapable de rien faire... — Ou alors comme morte, mais ça ne me fait pas peur... J'ai honte, je n'aime pas être observée... Je pense à X. (son amant), je passe mon temps à le tester pour voir s'il m'aimerait encore s'il me connaissait vraiment.» Une émotion monte, qu'elle réprime violemment: «Ce n'est rien, ça va aller.»

La semaine suivante, elle constate que je l'ai aidée à entrer en contact avec un besoin, celui d'être proche de quelqu'un, mais c'est encore fragile. Elle a envie de s'approcher de moi, puis s'inquiète et la peur d'être regardée de près la retient, «car elle n'est pas sûre de se sentir encore ainsi la fois prochaine». Par deux fois, elle se dit: «puis après?» — et la peur cède un peu. «J'ai l'impression d'avoir fait du chemin, conclut-elle: j'aime me sentir comme ça. Mais comment faire pour que ça dure?»

Au rendez-vous qui suit, elle m'apporte un rêve où elle faisait l'amour avec son père. Replacée dans l'ambiance de son rêve, elle retient son impulsion de crier: «va-t'en!», car «il y a déjà eu trop de violence dans ma vie». Puis elle ajoute aussitôt: «Mais c'est plutôt à moi de m'en aller…» — Elle reconnaît aussi qu'elle n'a plus peur de moi et que ceci se généralise à d'autres, «qui sont doux comme toi».

Elle annule, sans explication, la rencontre suivante et ne se présente pas, à l'heure habituelle, quinze jours plus tard. L'interprétation à faire était évidente, mais fausse: j'apprends que sa mère est décédée, qu'elle était dans sa famille en dehors de la ville et qu'elle n'a pas eu un instant pour éprouver comment elle se sentait dans tout ça.

Au cours des trois entrevues qui suivent ces événements, elle me raconte les faits et constate la haine qu'elle éprouvait alors qu'elle était près de sa mère mourante ou morte, et la tristesse qui l'habitait quand elle était loin d'elle. La tristesse l'envahit pour de bon lorsqu'elle songe qu'elle n'a même pas su si sa mère l'aimait et qu'elle ne le saurait jamais (plus tard, dans un rêve, elle revivrait la même situation). Elle me parle des crises et de la violence parmi ses frères et sœurs (elle est revenue avec un œil au beurre noir) et de sa crainte de ne plus pouvoir jamais s'approcher de personne. Elle accepte cependant de s'appuyer sur moi, légère comme un effleurement et de pleurer avec retenue («Si je me laissais aller, je ne m'arrêterais plus.») Elle réprime toujours les bouffées de colère qui lui viennent («Foutez-moi la paix!») et ne pense qu'à partir, à s'inventer des moyens pour s'éliminer. Au fond d'elle-même, elle se sent menacée d'être emportée par le tourbillon de sa détresse, mais elle n'exprime ceci qu'avec discrétion. Puis, peu à peu, son âme se raidit, se dessèche de nouveau; elle me trouve menaçant, elle bloque systématiquement toutes les associations qui lui viennent et qui concernent sa mère: «Je la mets dans un tiroir et je le ferme à clef!» — J'ai beau lui faire remarquer que, par la même occasion, elle enferme tout le monde et elle-même dans le même tiroir, rien n'y fait. Il ne reste qu'un silence vide et glacial.

La thérapie est interrompue par nos vacances. À la dernière rencontre, elle me dit qu'elle a appris à nager maintenant et qu'elle veut faire un bout de chemin seule dorénavant. Elle m'appellera lorsqu'elle voudra reprendre les rencontres. Je suis triste, mais s'il y a une chose que je veux respecter profondément, c'est bien le libre choix de mes clients.

À part une rencontre fortuite, où je lui parle surtout de mes démêlés avec mes collègues d'alors, dont j'aurais d'ailleurs à me séparer par la suite pour des raisons d'éthique personnelle, je n'aurai plus de nouvelles d'Hélène pendant un an.

Jusqu'ici, on n'observe rien que d'assez classique, que l'on pourrait interpréter comme une situation œdipienne mal résolue et où le processus thérapeutique est interrompu au moment où la réalisation des désirs érotiques envers le père et celle du souhait d'éliminer la mère deviennent trop menaçants dans la relation de transfert. Mais quelque chose en moi reste insatisfait de cette interprétation, par trop simpliste.

Un an plus tard, Hélène revient me voir en m'annonçant tout de go qu'elle a passé l'année à me traiter de tous les noms (qu'elle refuse d'ailleurs net de m'exprimer à haute et intelligible voix). Elle veut reprendre la thérapie pour «apprendre à se fâcher» et pour «travailler sa sexualité».

Progressivement, les thèmes œdipiens qui occupaient l'avant-plan jusqu'ici révéleront, par transparence d'abord, qu'un autre jeu de forces se joue en profondeur. Hélène rapporte un rêve où elle est en maillot et sa mère la trouve indécente; lorsque sa mère la serre contre elle, elle sent comme un pénis que sa mère l'invite à toucher; la peur et le dégoût l'envahissent. En racontant ce rêve, elle refuse la tristesse qui monte, car elle «aime mieux se sentir agressive que de faire pitié». Un gros coussin moelleux, qui fait partie de mes meubles de bureau et qu'Hélène a toujours beaucoup affectionné, prend dorénavant une importance plus explicite: elle le serre volontiers contre elle, comme un gros ventre protecteur qui évoque aussi bien le ventre maternel.

Elle devient de plus en plus hypersensible aux contacts physiques: si je la touche, mes mains la brûlent ou l'exaspèrent; elle a peur du prix qu'elle paiera si elle se laisse toucher, peur que mes mains deviennent des crochets de fer comme ceux dont on se sert pour soulever les billots de bois, peur d'être esclave, peur de se désintégrer. (C'est cette fois-là que je lui recommandai la lecture d'*Histoire d'O*.) À d'autres moments, c'est elle qui a la fantaisie de me toucher, de me bercer, de me séduire, de me violer parfois, mais dès le moindre effleurement — et, le plus souvent, avant — elle fige et se retrouve vide. Parfois, elle prend le risque de s'apprivoiser un peu, de s'approcher, d'expérimenter comment elle-même peut décider de la distance qui lui

convient, à condition de pouvoir s'assurer que je reste-
rai immobile et que mes bras (mes crochets?) restent en
dehors du jeu. Il y a alors des moments d'une grande
douceur, que vient rompre brutalement l'heure de terminer la rencontre. Un lien se fait: mère — tristesse —
X. (son amant) — solitude. Elle cherche à s'appuyer sur
moi, puis prend peur, jusqu'à ce qu'elle découvre
qu'*elle* peut décider de s'approcher ou de s'éloigner à sa
guise, pour rajuster la distance à chaque instant. Cette
découverte, qui l'impressionne beaucoup, sera cependant fragile et elle reste à refaire à chaque occasion: la
peur d'être happée, broyée, annihilée, et la colère
d'être rejetée ou abandonnée, demeurent les plus fortes. Mais alors elle est paralysée, car il ne faut exprimer
ni le désir, ni la colère; il faut faire la morte pour éviter
d'être tuée.

Dans ses fantaisies, elle se voit tantôt comme une
bulle de savon, si fragile qu'elle éclaterait si on la tou-
chait, tantôt puissante et imperturbable comme Goldo-
rak, tantôt encore comme un de ces pantins de chiffon
qui s'écrasent sans âme dans un coin dès qu'on ne leur
tire plus les ficelles. Le désir l'anéantit, la colère l'isole
et la peur la paralyse. Ce qu'elle n'arrive pas à croire,
c'est qu'elle puisse arriver un jour à être à la fois tendre
et forte, en contact et en sécurité.

L'âme d'Hélène est comme un balancier au méca-
nisme grippé, qui s'arrêterait à tout moment quelque
part entre la haine et la tendresse, et chaque fois c'est
comme si elle allait s'arrêter là pour l'éternité, figée
dans sa peur et figée davantage par la peur de rester
figée. Immobilisée dans le jeu du chat et de la souris de
la séduction (Mais qui est le chat? — Qui est la souris?)

car dans ce jeu la proie doit être dévorée et le prédateur se retrouvera seul au monde. Pétrifiée dans la résistance farouche à la brutalité esclavagiste d'une fratrie violente, où le maître possédant se retrouve aussi aliéné que l'esclave possédé. Impuissante à trouver un peu de tendresse dans le souvenir d'un père qu'elle aurait tant voulu aimer s'il n'avait été aussi distant. Médusée devant le gouffre inéluctable de l'antique giron maternel, d'où proviennent toute vie et toute mort. Butée dans la joute avec un thérapeute qui tente d'établir le contact et qu'elle pourrait tantôt haïr, tantôt aimer, risquant ainsi chaque fois de s'égarer dans son élan. Chaque fois, l'âme d'Hélène, par peur de se perdre, s'immobilise à l'instar de la mort.

L'âme d'Hélène s'est contractée, elle ne réussit plus à embrasser toute l'étendue qui va des racines à la cime, du contact à la liberté. (Est-ce pour cela que ses bras et ses jambes lui apparaissent souvent «de trop», comme des pseudopodes qui se rétractent pour prévenir quelque choc électrique?) En contact, la peur d'être engloutie la fait fuir vers une distance plus prudente; en vol libre, c'est le risque de se faire blesser, de s'abîmer dans la violence qui la ramène à son centre d'oscillation. Et, comme dans tous les pièges dont la peur constitue le ressort, plus elle cède à sa peur, plus elle se la confirme et la renforce.

Mais il y a quelques moments privilégiés où elle se sent assez forte pour aimer et assez sûre pour vouloir. Et ce sont ces petites pousses fragiles que je regarde se développer, avec émerveillement, en me tenant coi pour ne rien effaroucher.

Il n'est pas toujours facile de demeurer le témoin patient et discret devant tant de tumulte intérieur. Parfois, la détresse d'Hélène est si grande que je ne peux m'empêcher d'intervenir, d'essayer de la prendre par la main pour l'aider à trouver une issue, mais son angoisse devient alors trop grande.

Un jour, elle passe une entrevue à me dire, péniblement, comme elle se sent obligée d'être forte avec moi, car, au fond, je ne vaux sans doute pas mieux que les autres, je peux lui faire mal, je ne suis peut-être pas assez fort pour l'empêcher de devenir folle, et elle doute que je puisse la comprendre vraiment et répondre à ses vrais besoins...

La fois suivante, elle m'arrive en profond désarroi: elle a passé la semaine dans les étourdissements et dans l'angoisse et je la sens assise sur un volcan. Il faut faire quelque chose pour qu'elle puisse se soulager: je ne peux assister impassible à sa détresse. Je me mets donc

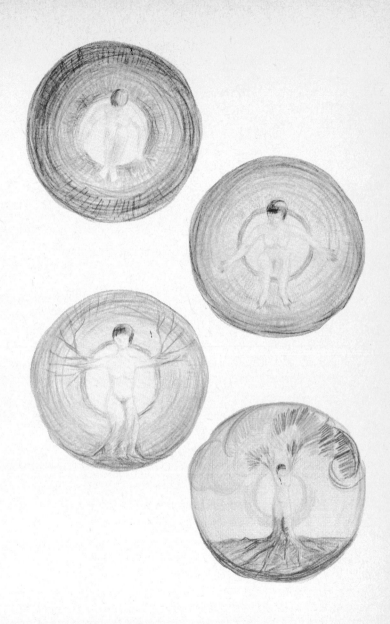

en devoir de l'encourager à ouvrir une soupape, à laisser s'exprimer un peu l'incroyable pression qui s'accumule en elle, que ce soit par des gestes, par un cri, par n'importe quoi, pourvu qu'elle arrête de comprimer en elle cet ouragan qui l'étouffe. — Rien n'y fait: je ne réussis qu'à transformer la salle de thérapie en terrain de bataille et Hélène me quitte aussi bouchée, aussi perdue qu'elle était arrivée. Cette fois, elle ne souhaite pas fixer d'autres rendez-vous.

C'est à ma demande que nous nous reverrons quelque temps plus tard, en terrain neutre, pour finaliser les détails en vue de la publication de ce texte.

— Comment ça va, Hélène?
— Je suis un peu triste et je sens que je me durcis... mais ça va. J'ai besoin de temps pour sentir que je peux me débrouiller seule, pour me sentir forte... Peut-être qu'un jour je reprendrai mon trip avec François Belpaire, je ne sais pas, je veux laisser ça ouvert...

Je n'éprouve aucune envie de discuter: je sens que les choses sont «correctes» ainsi, pour le moment: on verra. Hélène a besoin de prendre ses distances: c'est déjà un *mouvement*. Elle fait une retraite stratégique, pour bien s'assurer de ramasser tous ses morceaux. C'est dur, de se retrouver seule pour refaire ses forces. Je suis convaincu qu'elle n'en restera pas là: Hélène a l'âme bien trop ardente pour s'enfermer dans ses retranchements. Elle reviendra à charge, avec moi ou avec un autre, qu'importe! Je demeure disponible.

L'étreinte

du

désespoir

C eci est une très longue histoire. Son dossier est si épais qu'il m'a fallu, successivement, le classer dans trois chemises bedonnantes pour y contenir mes notes et, surtout, les nombreuses, longues et répétitives lettres qu'elle m'envoyait inlassablement.

Je rencontre Yolande depuis plus de dix ans déjà, tantôt de façon suivie pendant plusieurs mois, tantôt de façon sporadique, chaque fois qu'elle m'appelle après avoir longuement résisté à la tentation de venir se retremper à mon contact. Ce fut pour moi le combat le plus tenace, une vraie guerre d'usure, contre le démon mangeur d'âme qui l'habitait.

Une des premières choses qu'elle m'avait dites, au tout début, c'est qu'elle craignait de s'attacher à moi, car si on s'attache, il y aura un jour où il faudra se séparer et souffrir.

Bientôt, en effet, elle développe envers moi un attachement si tenace, qu'en comparaison le lierre le plus envahissant ne ferait qu'une douce caresse. Dans ses désirs, violents, je suis son père, son frère, sa mère, son amant, son Dieu («*Inquiescit anima mea, donec requiescat in te, Domine*»). Pas question qu'elle se satisfasse de me communiquer ses désirs, il lui faut les vivre, les agir. Sa voracité m'effraie. Je ne vois pas d'autre choix que d'imposer mes limites et de garder envers elle une distance et une froideur qui seront pour elle un long calvaire, et pour moi une longue (im-) patience.

La situation est claire: malgré toute ma bienveillance et ma conscience professionnelle, je ne l'*aime* pas. Mais il est trop tard. Yolande m'a convaincu que je tiens le fil de sa vie entre mes mains et que je ne pourrais plus me retirer de la relation.

Je crois bien que Yolande n'a jamais été aimée. Ou alors juste le tout petit peu qu'il fallait, quelque part dans les premiers mois de sa vie, loin au-delà de l'horizon de sa mémoire, pour avoir gardé ce goût indéfectible de la chaleur humaine qu'elle pourchasserait toute sa vie avec une espérance désespérée. Sans cela, c'eut été l'autisme, qui est antérieur à toute relation: elle aurait vécu en marge de tout contact affectif, n'en soupçonnant même pas l'existence. Elle a gardé un souvenir très vif de ce moment, à l'âge de six ans, où elle a fini à jamais d'espérer que sa mère l'aimerait. Et de cet autre moment, vers quinze ans, où elle résolut de vivre une vie de sacrifice (pour conjurer quelle divinité implacable?), alors que, me dit-elle, elle aurait aussi bien pu décider de mourir le lendemain. Elle réussit assez bien à survivre, dans une austérité qui cachait sa famine accablante, jusque vers la quarantaine, alors qu'elle fit la dépression qui l'amena à me consulter.

L'enjeu plus profond ne nous empêche pas de poursuivre un travail consciencieux pour explorer les aspects plus immédiats de son problème et reconstruire une vie professionnelle et personnelle à peu près vivable. Au cours des quelques mois qui suivent le début de la thérapie, Yolande retrouve un travail acceptable, reprend des études, se lance à corps perdu dans les activités bénévoles qu'elle avait dû abandonner, bref, elle retrouve tant bien que mal cette énergie tenace et volontaire qui l'avait animée auparavant. Plusieurs se seraient satisfaits de ce résultat et auraient arrêté là le traitement. Mais Yolande n'est pas de ceux qui lâchent aussi facilement.

Elle avait trouvé chez moi, sinon une affection spontanée, de la compréhension et de l'attention. Aussi semblait-elle résolue à conquérir mon amour qui, de toute évidence, devrait être un amour de fusion, un amour anthropophage où l'on ne saurait jamais qui aurait mangé l'autre. Elle mettait dans son assiduité une apparence d'humilité, de discrétion, de mansuétude, qui ne trompait qu'elle-même sur le fait que son désir se vivait au niveau des dents et des griffes. Et toujours, entre les rencontres, elle m'écrivait ces longues lettres éthérées:

François, mon Ami, bonjour,
C'est un besoin impétueux de communiquer qui me porte vers toi aujourd'hui.

Avec l'audace et la confiance d'un Cœur pur et simple, à toi qui es l'Ami prudent et humble. — À cause de toi, je réalise un peu plus chaque jour, le Bonheur profond de l'Amour, vécu dans la Liberté.

Brasier qui couve sous la cendre, fièvre et exaltation des passions les plus impérieuses, je sens aussi en moi une grandeur qui exalte l'âme.

(Etc.)

Je lisais ses lettres et les classais, sans y répondre ou presque: le plus souvent, ses écrits ne s'adressaient pas à moi, mais à un fantôme. Et les fantômes ne font pas de psychothérapie.

Dans les entrevues, elle ne s'exprimait que par allusions, par «têtes de chapitres», me laissant le soin de deviner le reste.

Ce n'est qu'après plus d'un an, lorsque je la sens assez forte, que je trouve le courage de lui faire part plus clairement de mes sentiments envers elle: je peux l'assurer sans réserves de mon dévouement à l'aider, de ma disponibilité professionnelle, mais je n'éprouve pas pour elle l'attrait ou l'élan d'amitié qu'elle espère si ardemment. Je sais que chaque fois que je précise — et j'aurai à préciser souvent pour clarifier la situation face à ses illusions qui renaissent toujours de leurs cendres — je lui assène un coup brutal. Mais c'est un coup à retardement: dans l'immédiat, elle reconnaît que, dans le fond, elle le savait et elle semble en prendre raisonnablement (beaucoup trop raisonnablement) son parti. Elle prend alors des résolutions de garder ses distances, d'espacer nos rencontres, de chercher ailleurs, dans son entourage, des contacts et des amitiés que l'on peut espérer plus réciproques. Elle décide de suspendre les rencontres, en se réservant la possibilité de me revoir éventuellement, au besoin. Quelques jours, quelques semaines ou quelques mois plus tard, elle me rappelle, à bout de souffle, après avoir reculé l'échéance le plus loin possible.

Alors elle revient pour faire le plein. Elle s'assoit dans mon bureau, le plus près possible de moi, et passe une heure avec moi comme s'il n'y avait qu'ici qu'il y a de l'oxygène à respirer, ou comme un nourrisson qui prend sa tétée après une trop longue attente. Si j'essaie la moindre interprétation, la moindre intervention pour lui faire prendre conscience ou pour l'amener à dépasser ce cycle infernal, j'obtiens un acquiescement raisonnable auquel je ne crois plus. Je l'invite donc à reprendre le traitement à un rythme plus régulier, pour briser ce cercle vicieux, ce qu'elle accepte avec un empressement que j'apprends bientôt à décoder comme une nouvelle flambée de fausses espérances. Après quelques rencontres, l'ambiguïté de la relation redevient manifeste, je reprends mes clarifications, je tente sans succès de la mettre en contact avec la rage profonde qui est au fond de son obstination, et elle reprend la résolution d'apprendre à vivre seule et de me rappeler peut-être, un jour, si elle en éprouve le besoin. Et ça recommence.

Jamais, comme avec Yolande, je ne me suis posé autant de questions sur le lien de parenté entre les professions de psychothérapeute et de putain.

Pourtant, de cycle en cycle, il se produit comme un glissement, presque imperceptible d'abord, puis de plus en plus manifeste. Je commence à la *croire* davantage lorsqu'elle me dit que, à mon contact, elle a appris à vivre. Je commence à être mieux informé sur la vie qu'elle mène au jour le jour, et je l'y vois moins activiste, mais plus vivante. Ses lettres passent du poème abstrait et exalté à l'interrogation et à la réflexion sur ce qu'elle éprouve envers moi et envers les autres. Lorsqu'elle m'embrasse, j'ai de moins en moins la sensation d'avoir devant moi un cannibale affamé ou un boa constrictor. Elle se permet même de me montrer un peu de mauvaise humeur, de me reprocher de ne pas répondre longuement à ses lettres, ou de me critiquer. Et, petit à petit, je m'aperçois que je m'attache à elle, que je prends plaisir à son contact, que j'ai envie de lui parler de moi et de répondre à ses lettres.

Mais au fond d'elle, un grand trou demeure, insatiable. Il est là comme une présence familière, qu'elle accepte maintenant avec plus de sérénité, mais qui toujours l'attire comme pour l'aspirer dans son propre gouffre intérieur.

Je m'inquiète. Malgré les progrès, malgré le terrain gagné pouce par pouce, au terme de plus de dix ans de persévérance et de souffrance, Yolande reste aux prises avec son démon intérieur. Je suis conscient que la relation entre nous demeure irrémédiablement ambiguë et que le contact même que je lui offre pour l'aider à se dépêtrer des nœuds émotifs qui l'entravent, déclenche, dès qu'il devient intense ou intime, un «passage à l'acte» qui annule le travail accompli et empêche sa poursuite. De tout mon cœur, je veux aider Yolande, et je constate que, par la nature du lien qui existe entre nous, je lui nuis plutôt. Impasse?

Au moment où ceci se passe, je vis moi-même des moments difficiles où, tant dans mes relations professionnelles que personnelles, j'ai à prendre des décisions déchirantes, dont l'enjeu est l'abandon ou le maintien de certaines relations, de certaines amitiés que j'avais crues jusque-là indéfectibles. (C'est d'ailleurs dans ces circonstances que je me suis surpris souvent à me dire: «Il faut que je sauve mon âme!» — préoccupation qui fut à l'origine de cet essai.)

Je sais que Yolande a à poser un geste irrévocable pour sortir de l'impasse et se libérer de ses chaînes: accepter profondément et sans illusions qu'il est vain de poursuivre la quête de l'amour qui lui fut refusé par ses parents, accepter de couper un cordon ombilical auquel elle s'accroche désespérément. Pour cela, il lui faut accepter de sacrifier cet attachement qu'elle me voue et, à travers mon image, immoler son démon. (Le sacrifice aura lieu, et il sera spectaculaire.)

C'est en parlant de mes préoccupations avec mes collègues qu'il devient clair pour moi comment *moi* je peux sortir de *mon* impasse vis-à-vis de Yolande: en mettant une limite absolue à ma disponibilité à l'aider et en me disant que, dans l'état actuel des choses, je ne suis pas (et ne puis pas être) responsable de *sa* vie. Quant à Yolande, c'est à elle maintenant de voir comment elle utilisera ses forces pour résoudre *son* côté de l'impasse. Je crois cependant pouvoir l'y aider encore en provoquant une situation propice.

Une décision claire s'impose à moi: j'accepterai de suivre Yolande pour cinq mois encore, jusqu'aux vacances d'été; au-delà de ce point, je mets un terme à toute prise en charge thérapeutique; d'ici là, je n'accepterai d'autre contact avec elle que dans le cadre du groupe de thérapie que j'anime. De plus, joignant le geste à la parole à la même occasion, je lui remets, encore cachetée, une épaisse enveloppe qu'elle m'avait fait parvenir: «Si tu veux me communiquer ce qu'il y a dedans, tu pourras le faire dans le groupe.» — C'est bien la première fois que je suis aussi antidémocratique, aussi intraitable avec un client!

Sur le coup, Yolande demeure de glace, mais je devine le feu d'enfer qui sourd au fond d'elle. La rencontre du groupe a lieu immédiatement après que je lui eus fait part de ma décision. Yolande demande qu'on lui réserve dix minutes à la fin de la rencontre et reste tranquille dans son coin jusque-là.

Quand son tour arrive, elle se lève calmement pour aller chercher un cendrier, sort de sa poche un briquet, ainsi que la lettre — toujours cachetée — et y met le feu. Les flammes lui lèchent les doigts sans qu'elle ne bronche. Je surveille un peu anxieusement le tapis de la salle de thérapie, mais non, l'incendie du Centre ne sera pas pour cette fois-ci. Lorsque tout est consumé, elle se lève et s'en va, sans commentaires. Je sais qu'elle a brûlé, sur son bûcher symbolique, son amour pour moi, l'idole que j'étais au fond d'elle et, d'une certaine façon, sa propre personne. Sa thérapie aurait pu se terminer ici (elle y a songé d'ailleurs).

Les quelques mois qui suivent ne serviront qu'à vivre, avec le groupe qui est désormais un témoin important pour elle, le deuil de tout ce qu'elle a maintenant abandonné. Il y aura des pleurs, des angoisses, de la colère, de la tendresse et des rires. Mais la vieille Yolande est morte et enterrée. En somme, je viens d'assister à une autre naissance et le cordon ombilical est coupé.

Bon voyage, Yolande!

La complaisance
ou
Qui fait l'ange
fait la bête

C'est pour la taquiner, avec ses grands air d'innocence en détresse, que je l'appelais Angélique. Je lui garderai donc ici ce pseudonyme pour les besoins de l'exposé.

Je l'avais suivie régulièrement, pendant un an, il y a une dizaine d'années déjà. Elle présentait des symptômes d'agoraphobie et de claustrophobie. Religieuse dans une communauté hospitalière, elle vivait intensément le déchirement entre son besoin perfectionniste de se montrer conforme aux attentes de son entourage et son profond sentiment d'indignité, sur le thème: «La vierge et la putain» (les religieuses sont aussi des êtres humains).

À la suite d'une de nos premières rencontres, elle m'écrivait:

Je ne vous apprendrai rien en vous disant que j'étais profondément troublée en sortant de votre bureau, il y a à peine quelques minutes (…). Je suis encore troublée!… Si j'étais seule, je pleurerais, pourquoi? Sans doute de dépit… J'ai peur! J'ai l'impression de n'être pas capable de faire face à la vie avec toutes ses réalités. J'ai l'impression d'avoir joué une comédie jusqu'à présent, et je continue. C'est pourtant une comédie tragique, car je n'y trouve rien de bien drôle… Tout m'échappe.

Tout au long de ma vie, «j'ai dû cacher quelque chose»… c'est peut-être vrai!… C'est sûrement vrai pour bien des choses, mais qu'est-ce au juste que j'ai à cacher, je n'en sais rien… Mais j'éprouve bien ce besoin… Tout à coup, je ressens autour de moi une telle solitude, je me sens perdue, sans plus de lumière… Je me demande alors à quoi sert ma vie. «C'est quoi la vie?» J'ai besoin de sentir là près de moi (excusez) quelqu'un qui veut être là, c'est tout!

C'est pourquoi cet après-midi, j'aurais voulu ne pas partir de votre bureau! Même si je n'avais qu'envie de pleurer, votre présence me rassurait et il y avait aussi le même sentiment que je vous ai déjà exprimé — celui de me jeter dans vos bras et là de me cacher pour pleurer.

C'est bête d'écrire cela. Mais je ne puis le dire à d'autres et j'ai besoin de «crier» (mon stylo ne fait pas de bruit)…

Au cours d'un an d'une thérapie toute rogerienne (vous vous souvenez? — La considération positive inconditionnelle, l'attitude non directive, les reflets de sentiments: c'était mon style d'alors), où je fis d'ailleurs l'objet d'un transfert massif et fortement érotisé (un vrai transfert de religieuse, si l'on me passe un tel stéréotype!), Angélique explora et clarifia quelque peu ses élans et ses angoisses. Elle décida alors qu'il serait plus raisonnable «d'assumer ses propres responsabilités», de «s'accepter comme elle est» et de poursuivre son chemin sans mon aide. Elle s'était «apprivoisée à elle-même», se sentait «plus libre et plus unifiée», quoiqu'elle demeurât sensible aux angoisses, à la peur de perdre connaissance et aux orages émotifs (sexuels) qui l'avaient amenée à me consulter.

Pendant un an et demi, elle revint me voir occasionnellement, me gardant comme confident et comme témoin de ses luttes, de ses échecs et de ses victoires. («Toi, me dira-t-elle plus tard, tu ne me juges pas: tu es comme le Bon Dieu.») Ensuite, aucune nouvelle pendant plusieurs années.

Et puis, tout à coup, la voilà qui réapparaît, surprise que je me souvienne d'elle. Rien ne va plus: le beau système d'équilibre qu'elle avait réussi, tant bien que mal, à maintenir jusque-là, a craqué. Quelques mois auparavant, elle a été parachutée, sans préparation et au nom de la Sainte Obéissance, à un poste de responsabilité qu'elle se sent incapable d'assumer. Ravalant ses sentiments de révolte, elle perd toute énergie, elle craint de devenir folle, elle a envie de disparaître. De plus, elle se trouve enlisée dans une amitié ambiguë avec son ami R., qui lui demande de l'épouser et avec lequel elle ne peut se résoudre à rompre.

Ce qui devait être, d'après sa demande initiale, une simple consultation d'«orientation professionnelle», deviendrait rapidement un voyage aux enfers qui durera cinq mois de travail psychothérapeutique intense.

À la deuxième rencontre, elle n'a plus rien à me dire, si ce n'est de me parler du décès d'une consœur «exemplaire», qui se serait littéralement «tuée au travail», ce qui lui inspire autant d'envie que de peur. Suit un grand silence, où Angélique devient progressivement la proie d'une épouvantable agitation intérieure qu'elle contient en se raidissant de la tête aux pieds (ce qui est en soi un exploit, dans les fauteuils type «relax» de mon bureau). Invitée à exprimer ce qu'elle éprouve, elle se sent «assise sur une caisse de dynamite», fond en pleurs puis se ressaisit; elle a peur de mourir, elle veut s'en aller mais m'implore de l'en empêcher. C'est un véritable ouragan émotif, où tout se mêle pour la submerger dans un tourbillon de panique. Son état me touche, mais ne m'inquiète pas trop et je réussis à la rasséréner un peu en l'assurant de ma disponibilité à l'aider, puisque «j'ai pris des cours sur la façon de désamorcer ce genre de bombes». En sortant de l'entrevue, elle m'écrit un mot «pour s'excuser de sa façon trop sensible et irréfléchie d'agir, de son effronterie envers moi».

Je reviens là-dessus, bien sûr, à la rencontre suivante, pour l'informer que je n'ai été ni choqué ni insulté par ce qui n'est pour moi qu'une manifestation de sa détresse, et qu'il m'importe, justement, qu'elle se sente libre d'éprouver et d'exprimer les états d'âme qui sont au centre de son mal de vivre. Je commets alors l'erreur d'entreprendre immédiatement, par des exercices corporels, le travail sur les manifestations physiques de sa névrose: au moindre contact de ma main, le tumulte intérieur réapparaît, avec la panique de perdre toute maîtrise d'elle-même, d'être emportée par un raz de marée qu'elle identifie comme étant de nature sexuelle. Nous convenons donc d'éviter, jusqu'à nouvel ordre, tout contact physique et la relation se réoriente vers un contact purement verbal. À sa demande, j'accepte de la rencontrer deux fois par semaine, même si nous sommes tous deux conscients que cette requête peut être motivée non seulement par un urgent besoin d'aide, mais aussi par un désir «coupable» de se complaire en ma compagnie. Je m'engage d'ailleurs à surveiller de près si ce rythme intensif s'avère favorable ou nuisible à son évolution.

Pendant quelques semaines, l'événement thérapeutique se déroulera concurremment sur deux plans. Pour un observateur superficiel, Angélique procède, par la parole, à l'exploration progressive des recoins de son âme; pour qui sait y voir, elle s'expose graduellement, avec terreur d'abord, puis avec une sérénité croissante, au monstre qui se tapit en elle et qui se réveille d'autant plus violemment que le contact entre nous lui apparaît plus intense. Et cela est vrai non seulement quand Angélique me perçoit tendre et affectueux, mais autant lorsqu'elle croit me voir comme un juge en colère.

Comme c'est le cas pour tout le monde, son voyage au centre d'elle-même charrie pêle-mêle les fragments de son âme, qu'ils soient souvenirs, émotions, fantaisies, rêves ou sensations. Ce n'est sans doute que pour satisfaire notre intelligence (et peut-être pour mieux nous «approprier» notre expérience et ainsi consolider notre emprise sur elle) que nous éprouvons le besoin de mettre, à point donné, un semblant d'ordre dans tout ça. (Encore le «mythe organisateur»?)

«J'ai toujours l'impression de jouer la comédie», m'annonce-t-elle au début d'une rencontre. Je l'invite donc à me faire le portrait du personnage de cette comédie, qu'elle identifie comme une jeune fille préadolescente, un peu fofolle mais pas méchante pour deux sous, qu'elle baptise du nom de Brigitte. Le dialogue entre Angélique et Brigitte, que je provoque alors (en l'invitant à changer de siège lorsqu'elle change de personnage, à la manière de la Gestalt-thérapie), débouche sur un échange entre la petite jeune fille qui veut suivre ses caprices, plutôt innocents dans l'ensemble, et une directrice de conscience qui moralise avec bienveillance; puis, peu à peu, les deux personnages se rejoignent dans le *doute*; «Ai-je raison d'être aussi sévère, se demande Angélique, pourquoi ne pas la laisser vivre un peu au gré de ses fantaisies?» — «Ne suis-je pas sur une pente dangereuse? s'inquiète Brigitte. Tout à coup Angélique aurait raison, tout à coup je risquerais de manquer le bateau?» Jusque-là, la saynète est charmante, quoique un peu à l'eau de rose. Qu'est-ce que «manquer le bateau»? — À ma question, Angélique répond, lugubre: «C'est se damner!» Puis, progressivement, elle s'approche de moi, se sent envahie de nouveau, elle veut se serrer contre moi, elle veut m'étriper, elle se sent devenir folle. Un éclair soudain: «Au fond, la vie religieuse, c'est une façon de me damner!» En quittant, elle veut m'embrasser, ce que je refuse; elle tente de m'embrasser de force, puis sombre dans la honte. Je l'invite à me regarder en face avant de partir, pour vérifier si elle y voit effectivement toute la réprobation qu'elle me prête, mais elle ose à peine lever les yeux. (Ce n'est que longtemps après qu'elle me reparlera de cet incident, où elle a cru que je la rejetais tout entière dans une colère sans appel.)

À la rencontre suivante, je lui remets la lettre, encore cachetée, qu'elle m'a fait parvenir, en l'invitant à m'en *parler* plutôt. Sur un ton qui conviendrait davantage au confessionnal, elle me parle de ses rencontres avec son ami R., dans lesquelles elle persiste à chercher affection et réconfort, mais où elle finit toujours par céder à la tentation de la chair, et encore, d'une façon qu'elle qualifie de «contre nature». — «Mais à qui donc as-tu besoin de te prouver aussi dépravée?» (je me souviens, à ce moment, de ce thème maintes fois abordé au cours de sa première période de thérapie, voilà plusieurs années). Sautant apparemment du coq à l'âne, elle me parle de son frère qui a mal tourné, faisant de la peine à sa mère. Puis elle entreprend de projeter, sur l'écran neutre de la porte de mon bureau, l'image de toutes les personnes à qui elle s'oblige à «montrer bonne figure», même si elle sait qu'il faut pour cela faire de la «fausse représentation». Une pyramide menaçante s'érige sur le panneau de la porte: tout en haut, il y a sa mère, puis ses parents, ses frères et sœurs et, à la base, ses compagnes de communauté. Évoquant le souvenir de sa mère, elle la voit en pleurs et se rappelle comment elle était agacée par les larmes de sa mère, qui étaient «comme un chantage». La pyramide imaginaire restera incrustée dans la porte de mon bureau, pour référence future, tout au long du segment de thérapie que je raconte ici.

Comme il se doit, la séance suivante en est une de résistance, où Angélique ne sait que dire, me voit comme un inquisiteur, refuse d'exprimer ce qu'elle éprouve par crainte de faire une «exhibition», etc. (Je réprime la tentation de jeter un coup d'œil sur ma porte, juste pour voir si mon image n'y paraît pas, parmi les autres.) Mais dans les rencontres ultérieures, Angélique oscille entre la colère qu'elle éprouve envers les exigences perfectionnistes des personnages de la pyramide et la crainte que, si elle se laisse aller à cette colère, elle se retrouvera seule et rejetée de tous. C'est bien ce qu'elle éprouve avec son ami R., constate-t-elle: à peine l'idée l'effleure-t-elle de prendre position face à lui pour se faire respecter, que déjà elle a peur de le perdre et elle se jette à son cou. Perdre son autonomie ou se faire rejeter; les stratégies qu'elle a appris à adopter pour échapper à ce dilemme commencent à devenir conscientes: elle peut se soumettre en reniant son âme («voici la servante du Seigneur»), ou prendre l'initiative de la situation en devenant la séductrice, la prostituée. Vendre son âme à Dieu ou au diable, quelle différence? — Mais surtout, ne pas la conserver librement pour soi, car c'est là qu'est la solitude, l'abandon (l'enfer?). Lorsque cet enjeu devient clair, Angélique devient très anxieuse: «Je ne sais pas si je veux passer à travers!»

Concurremment, des souvenirs émergent qui viennent documenter l'histoire de ce dilemme. Les exigences sèches et toujours insatisfaites de sa mère, qui n'était affectueuse que lorsque ses enfants étaient malades. Les jeux chaleureux mais sensuels avec son père, chez qui elle trouvait par ce moyen une compensation à son manque de tendresse, sous le regard d'ailleurs désapprobateur de sa mère. Le souvenir d'avoir été «abusée» par un frère aîné auquel elle est restée très attachée par la suite («Si c'est ça que ça prend pour être aimée...», pourrait-on lui prêter). Et puis plus loin, le souvenir qu'on lui a rapporté que, sevrée tôt, elle aurait failli se laisser mourir en refusant le biberon.

Et pendant que tout cela se déroule, le monstre insaisissable montre peu à peu ses multiples visages et devient, de ce fait, un ensemble d'émotions saines dont elle peut garder la maîtrise. Au lieu des tempêtes indifférenciées qui la submergeaient naguère, ce sont maintenant tantôt la colère, tantôt le besoin de tendresse, tantôt la honte ou les sentiments de culpabilité, et parfois — pourquoi pas? — le désir de séduire qui, tour à tour, prennent leur place et s'expriment. Cette évolution ne se fait cependant pas selon une sereine progression: il y a des moments de court-circuit où tout se mêle à nouveau et où la panique redevient menaçante.

Un jour, elle me rapporte un rêve où elle se sent bien avec son directeur spirituel (un autre homme avec lequel elle a une relation d'intimité mais qui, précise-t-elle, a de la maîtrise de soi!). Après avoir raconté ce rêve, elle se retrouve à genoux, la tête posée sur un coussin: elle cherche quelque chose de doux pour s'appuyer, habitée à la fois par une sorte de désespoir et un besoin d'implorer le pardon. Elle pleure un bon coup et accepte, sans se troubler cette fois, le contact bienveillant de ma main sur son épaule. Au bout de quelques minutes, elle se retire cependant, craignant d'être jugée ridicule.

Les mandalas qu'elle produit pendant cette période sont intéressants (en plus d'être, à sa surprise, très beaux): au début, ils montrent un grand centre diffus, qui évoque une sorte de mer des Sargasses en décomposition, entouré d'une frange jolie, proprette et insignifiante; le centre est mystérieux et menaçant, la périphérie décorative n'est qu'un trompe-l'œil pour mystifier les spectateurs. De mandala en mandala, le centre évolue, prend forme, pour devenir ce casse-tête où elle retrouve une image d'elle-même éclatée en morceaux.

Les progrès observés dans la situation thérapeutique ne trouvent cependant pas leur pleine application dans la vie en dehors: l'ambiguïté avec R. demeure presque totale; l'énergie au travail est un peu meilleure mais le problème d'orientation vers une carrière satisfaisante est loin d'être réglé (il s'aggrave même, car on lui a proposé une nouvelle responsabilité, plus lourde, pour laquelle elle se sent encore moins préparée); de plus, Angélique se pose maintenant de déchirantes questions sur sa vocation religieuse, ce qu'elle n'a jamais osé faire vraiment auparavant, mais sans savoir comment les trancher. Même dans le contact avec moi, il reste quelque chose de flou: Angélique continue à s'exprimer à mots couverts, me laissant le soin de décoder, autant que possible sans les nommer trop crûment, les réalités «honteuses» ou «coupables» de son expérience. S'il doit y avoir déblocage, Angélique doit apprendre à appeler un chat un chat, et ce, à la face du monde.

Je l'invite donc à troquer les entrevues individuelles pour un stage de quelques semaines dans le groupe de thérapie que j'anime (il reste alors un peu moins de deux mois avant l'arrêt des vacances d'été). Le défi est de taille: Angélique est à la fois terrifiée et fascinée. Un instant, la panique risque de l'emporter, comme avant, et elle ne comprend plus rien; affolée, elle se trouve submergée par l'impulsion de se jeter sur moi; mon interprétation la ramène à elle-même: «Je viens de te dire que tu es une grande fille maintenant, que tu es assez grande pour aller jouer seule dans le trafic; et la vieille solution que tu connais à cette angoisse, c'est de te jeter au cou de quelqu'un tout en croyant te damner.» Après une semaine de réflexion, elle accepte ma proposition d'aller essayer, dans le groupe, s'il est vrai qu'elle peut se révéler telle qu'elle est sans que le ciel ne lui tombe sur la tête.

Les six semaines qui suivent resteront sans doute parmi les plus dures de son existence. À chaque rencontre de groupe, Angélique me demande d'ailleurs une entrevue individuelle où elle va puiser la compréhension de ce qui lui arrive et le courage de persister. (J'ai comme politique d'accéder à de telles demandes chaque fois que j'ai une certitude raisonnable que les rencontres individuelles ne serviront pas à annuler les effets du travail en groupe.)

Lors de sa première rencontre en groupe, Angélique semblerait vouloir disparaître six pieds sous terre et reste piteusement terrée dans son coin, après une ou deux tentatives de faire entendre une voix dégagée et claire. Ce n'est que lors de notre contact individuel, quelques jours plus tard, que j'apprends comment elle a songé à tout laisser tomber, furieuse des «simagrées» que j'ai fait faire au groupe (chaque rencontre commence habituellement par une mise en train d'exercices corporels ou de contact), terriblement gênée et jalouse envers les femmes du groupe qui ont sollicité et obtenu plus d'attention de ma part, et enragée par mon attitude «sèche et narguante» envers elle lorsque, à la fin de la séance, elle avait tellement besoin de sympathie de ma part. Je me borne à l'encourager à m'exprimer tout ça haut et clair, avant de l'inviter à en faire part au groupe à la prochaine rencontre. La seule perspective d'une telle éventualité la terrorise.

Mais Angélique a le sens du défi. À la rencontre en groupe, le lendemain, elle demande la parole et déballe son sac, avec un naturel et une clarté dont elle est la première surprise. Elle s'aperçoit d'ailleurs, en le faisant, qu'il n'est point besoin de raconter sa vie, ni de déterrer les morts ou autres objets malodorants, pour être là, présente, avec tout ce qu'elle est profondément au moment où elle parle. Et le ciel ne lui tombe pas sur la tête.

Au cours des quatre rencontres suivantes, Angélique s'exerce avec application (tout ce qu'elle fait est fait avec application) et avec un plaisir croissant (ça, c'est nouveau) à être ce qu'elle est, à mesure que les événements et les états d'âme se succèdent. Pendant la même période, ou dans les semaines qui suivent, elle retrouve son élan, elle réussit à prendre position face à son ami R. qui n'y voit que du feu, elle accepte réellement de relever le défi de la nouvelle responsabilité qu'on lui proposait, tout en se disant qu'elle n'y fera sans doute pas carrière pour le restant de ses jours et en se réservant la possibilité de se reposer la question de sa vocation en temps et lieu.

Angélique a toujours été une petite fille sage et complaisante. «Un ange, un rayon de soleil dans la maison», ont dû se dire ses parents, attendris. Et la voilà partie dans la vie avec cette mission de ne jamais décevoir, de ne jamais vouloir que ce que les autres attendent d'elle, dans l'espoir de glaner ainsi les miettes d'approbation qui sont sa ration de survie. Et elle, de piétiner sa nature goulue, ardente, violente, jusqu'à en faire la bouillie informe et étouffante où se noie son âme.

Si la complaisance est angélique, la nature est diabolique, et ce n'est qu'en faisant une place à celle-ci qu'Angélique peut donner de l'air à son âme et s'y retrouver.

Prométhée

(Le sacrifice)

P rométhée est une de mes vieilles connaissances. Du temps où, étudiant, j'avais le temps de toucher à la peinture, j'en avais fait une étude d'éclairage, en essayant d'imiter le style du Caravage. Le héros marchait vers les hommes, enveloppé par la nuit, portant dans le creux de ses mains jointes la flamme qu'il avait dérobée aux dieux. La lumière qui en provenait découpait dans le noir la puissante musculature du fils de Titan, ainsi que son masque fait de triomphe mêlé d'angoisse.

Mes copains d'alors ne se privaient pas de me railler sur l'endroit où mon Prométhée portait le feu: exactement au niveau du sexe (je n'avais, bien sûr, pas remarqué ceci avant qu'on ne m'en fît prendre conscience).

En ce temps-là, Zeus avait déjà détrôné son père, Kronos, accomplissant ainsi la vengeance prophétisée par son aïeul Ouranos après que celui-ci fut sauvagement émasculé et supplanté par son propre fils, Kronos. Sous la suprématie de Zeus, l'univers grouillait de dieux, de titans, de nymphes et de cyclopes, tandis que les plantes couvraient la terre et que les animaux peuplaient le ciel, la terre et l'océan. Seul manquait l'homme qui, par son esprit, serait appelé à dominer la terre.

Prométhée, fils du titan Iapétos (Japet) et petit-fils de Gaïa, la mère-terre originelle, se crut chargé de mission (et c'est là que commencent souvent les problèmes!). Il avait hérité, dit-on, de l'ingéniosité de son père et il avait connaissance de la semence divine qui dormait dans la terre. Y puisant du limon, il en façonna une forme à l'image et à la ressemblance des dieux. Dans son sein, il enferma les qualités, bonnes ou néfastes, qu'il emprunta à tout ce qui vivait alors sur la terre. Pallas Athéna, qui était sa petite cousine et son amie, avait suivi avec émerveillement la progression de son œuvre; elle insuffla la vie au modelage de glaise, qui s'anima.

Ainsi fut créé l'homme, qui bientôt se multiplia et peupla la terre. Mais les humains d'alors vivaient comme en rêve, car ils ne savaient se servir ni de l'ouïe ni de la vue. Ils erraient et agissaient sans but, car ils ne connaissaient ni le cours des astres et des saisons ni l'art de construire les maisons. Et surtout, ils ne soupçonnaient même pas l'existence du feu.

Prométhée entreprit donc d'éduquer ses créatures. Il leur enseigna le bon usage de tous les dons divins, leur apprit à voir et à entendre, leur montra comment découper les jours et les années selon le cours du soleil et des étoiles pour profiter ainsi de l'éternelle splendeur du cycle des heures et des saisons. Il leur apprit à domestiquer les animaux pour leur usage et à construire des vaisseaux pour conquérir les mers. Il leur transmit l'art de façonner la pierre et la tuile, de tailler le bois et de construire des maisons. Mais ils mangeaient encore leur viande crue, comme les animaux: il leur manquait le feu.

Les hommes avaient alors un pacte avec les dieux: en se soumettant à leur volonté et en les honorant, ils obtiendraient leur protection. (Ceci est une autre vieille histoire universelle!) Ils résolurent donc d'envoyer respectueusement Prométhée en émissaire auprès de Zeus afin de négocier l'obtention d'une parcelle de ce feu qui demeurait une prérogative divine. Mais dans sa témérité, Prométhée tenta de duper le maître de l'Olympe (il lui passa un sapin, comme on dit par ici); Zeus s'en aperçut et refusa dorénavant de reconsidérer la requête des hommes.

Qu'à cela ne tienne: Prométhée avait plus d'un tour dans son sac. Ici, il y a une divergence entre les sources officielles et savantes sur la mythologie grecque et ma version personnelle. On dit que Prométhée profita du passage d'Hélios, le dieu-soleil, pour allumer le plumeau d'un roseau au feu de son char enflammé. Dans mon imagerie, Prométhée se faufila plutôt sur l'Olympe, où les dieux rassemblés se réchauffaient à la chaleur d'un bon feu de camp, pour leur dérober subrepticement quelques braises qu'il rapporta prestement aux hommes qui vivaient dans la plaine. Et bientôt, dans la nuit, la flamme se propagea, brillant de son éclat partout où des hommes s'étaient établis.

Zeus ne tarda pas à constater le méfait et à identifier le coupable. Sa colère fut terrible et sa vengeance, sournoise. Il envoya sur la terre la belle Pandore, porteuse de sa boîte légendaire qu'elle offrit à Épiméthée, le frère de Prométhée. Surpris mais confiant, Épiméthée ouvrit la boîte, d'où s'échappèrent aussitôt les cadeaux de Grecs (*«Timeo danaos...»*, vous vous souvenez?) que Zeus avait pris soin d'y enfermer: la maladie, la calamité, la souffrance..., toutes ces belles poisses sans voix, qui s'approchent des hommes sans faire de bruit pour mieux les surprendre. Dans son épouvante, Promothée referma précipitamment la boîte, juste avant que celle-ci n'eût livré son dernier présent: l'espérance, que Zeus, sans doute dans un moment de faiblesse attendrie, avait cachée tout au fond.

Ainsi Zeus se vengea-t-il de l'humanité. Mais son courroux n'était pas assouvi: il restait à châtier Prométhée, l'auteur de la félonie. Il le fit saisir et enchaîner par Héphaïstos, le divin forgeron, à un pic rocheux du Caucase. De là il contemplerait, pour l'éternité, à l'horizon désolé de la terre, son œuvre d'apprenti sorcier, sans pouvoir ni fléchir les genoux ni baisser les paupières pour trouver un peu de repos. Un vautour lui déchirerait le foie, qui toujours se reformerait dans son flanc éventré. (D'aucuns prétendent qu'Héraclès, qui passait par là beaucoup plus tard, à la recherche des pommes des Hespérides, prit pitié du Titan enchaîné, tua le vautour d'une flèche et libéra Prométhée. Mais je soupçonne qu'il s'agit là d'une version édulcorée, d'invention plus récente, à l'usage des sensibilités plus délicates des générations ultérieures.)

J'en étais aux abords du mitan de ma vie lorsque je me trouvai confronté moi-même de façon plus brutale aux nœuds de mon âme. En guise de témoignage, ce petit texte que j'extrais de mes vieux papiers:

J'en ai plein le dos. Si ça continue, j'en aurai plein juste un petit peu plus bas et j'enverrai chier tout le monde. Merde. À force de jouer les Atlas portant le monde sur mes épaules courbées, ça me casse les pieds.

Mais j'ai le sens du devoir et je m'agrippe. Je me raidis la nuque jusqu'aux reins et je serre les mâchoires à en avoir mal aux tempes: ça aide à avoir la tête assez dure pour tenir. Les jambes crispées, le tendon d'Achille tendu comme un câble, j'ai besoin de toute ma tête pour rajuster constamment mon assise. La position est inconfortable mais on s'habitue: si on n'y porte pas trop attention on finit par oublier. (Ça me fait une belle jambe! — Je l'ai noueuse comme un coureur de fond.)

Pas le temps de m'occuper du creux au haut de ma poitrine, là où ma fille, lorsqu'elle avait deux ans, essayait de se dénicher un petit oreiller douillet pour finir par le verdict: «Trop dur, papa!» Mon creux de famine. Mais j'ai les mains chaudes, qui ne demandent qu'à toucher en des caresses données-reçues, comme dit un poète dont j'ai oublié le nom.

Il y a quelque temps déjà, je rêvais que j'étais le conducteur d'une cabane sur roues qui était notre demeure familiale. Dedans, il y avait mes enfants, ma femme et un «ami». Tant que le chemin à parcourir descendait, ma tâche était acceptable et ne demandait que de l'adresse. Au bas de la pente, il me fallut porter la cabane sur les épaules, avec tout ce beau monde dedans, à travers des taillis infestés de guêpes, jusqu'au lieu où nous devions nous établir. En me souvenant maintenant de ce rêve, l'histoire se termine par une crise de rage où je taille la cabane en pièces à coups de hache.

Une autre image me hantait alors: je me souvenais de ces pièges à rats aux mâchoires de fer que ma mère posait derrière la remise, quand j'étais enfant. Le matin, quand nous allions relever les prises, seul un moignon de patte sanglant restait pris dans les tenailles refermées: le rat avait rongé sa propre patte pour se sauver. Nul n'a jamais su s'il a survécu à la blessure qu'il s'était infligée. — Ce souvenir s'imposait à moi, venant du fond de mon enfance. J'étais pris au piège et je n'avais pas le courage du rat. Il ne me suffisait pas de sauver ma peau, il me fallait sauver mon âme.

J'avais besoin d'aide et je décidai d'entreprendre pour moi-même une psychothérapie de groupe en bio-énergie avec A.L.

L'image de Prométhée flottait dans ma tête, alors que j'étais dans sa salle d'attente, au seuil de mon premier rendez-vous de prise de contact avant d'embarquer dans le groupe. «Voler le feu des dieux», me dis-je. Je revoyais l'image en clair-obscur qui avait tant amusé mes copains étudiants, il y a vingt ans. Un vers d'un poète néerlandais (un autre dont j'ai oublié le nom) me trottait dans la tête, remontant du fond de mon adolescence: *«Ik ben een god in 't diepst van mijn gedachten.»* (Je suis un dieu au tréfonds de mes pensées.) Et puis une sourde inquiétude.

A. L. était pour moi, et il l'est encore, un des «bonzes» de la psychothérapie au Québec. J'étais confusément conscient que je l'avais choisi à la fois pour m'aider à démêler les nœuds dans lesquels mon âme se débattait, mais aussi dans l'espoir de partager, à son contact, un peu de ce feu des dieux qui fait qu'un professionnel devient un bonze dans son domaine. Je lui confiai cela de façon anodine en lui disant que j'escomptais, de ma démarche, des bénéfices à la fois sur le plan personnel et sur le plan de la qualité de mon travail professionnel. Mais je ne soufflai mot de Prométhée. Ce Robin des Bois de l'antiquité ne devait sortir de sa clandestinité que deux ans plus tard.

J'entrepris donc, avec l'aide d'A. L. et à la chaleur de R., son épouse et cothérapeute, d'apprendre mon corps et mon âme (encore une fois, je ne vois pas comment on pourrait considérer l'un sans l'autre). Je plongeai dans ce lac de tristesse désolée que j'avais à peine commencé à soupçonner au fond de moi et qui se reforme toujours à nouveau, comme ces eaux profondes et claires qui dorment dans les cratères entre deux éruptions. Je découvris la violence de ma rage et son impuissance à forcer les portes du paradis perdu. J'en appris long sur la douceur d'une main amie comme un baume sur une vieille blessure qui ne finit plus de se cicatriser. Je cultivai l'art de ne prendre que ce que je suis capable de recevoir et de ne donner que ce que je possède (mais mon apprentissage n'est pas terminé dans cette matière). J'appris à me battre sans couper le contact (ça aussi, c'est difficile!). Et peu à peu, je me sentis assez fort pour me dresser à la face des dieux, pour les rencontrer d'homme à homme.

Il m'était arrivé souvent, malgré toute mon estime pour A. L. dans ce qu'il fait et dans ce qu'il est, de m'insurger intérieurement contre certaines de ses interventions, surtout lorsque je trouvais qu'il maltraitait quelques-unes de mes compagnes dans le groupe de thérapie. (Au fond, Don Quichotte, Robin des Bois, Prométhée, Jésus, Quetzalcoatl, quelle différence? — Ils sont tous un peu de la même famille.) Alors, j'étais celui qui jugeait froidement le travail d'un collègue, entre pairs. Mais j'avais une trouille affreuse de l'affronter ouvertement. L'image des titans me revenait, empilant des montagnes comme de vulgaires blocs de construction pour monter à l'assaut de l'Olympe et y défier Zeus brandissant les éclairs de sa colère, avant qu'ils ne se fassent précipiter dans l'abîme du Tartare. Je me contentai donc de me faire le consolateur des pauvres affligées et j'eus bientôt mon «fan-club», comme disait A. L. en se moquant, rassemblant autour de moi une petite clique de mécontent(e)s qui n'avouaient pas trop haut leur révolte.

Par le hasard d'une recomposition des groupes de thérapie animés par A. L., je perdis mon fan-club et me retrouvai isolé dans un nouveau groupe. Cette année-là fut pénible. J'y fréquentai, plus qu'à mon goût, ma sécheresse et ma solitude. Je fis la connaissance du vampire qui dort au fond de moi (je ne suis pas sûr encore de lui offrir vraiment l'hospitalité de mon âme). Un soir, c'était presque à la veille de Noël, je pris la parole dans le groupe pour faire part de ma désolation, espérant un peu de chaleur, un peu de consolation. Un grand silence se fit, puis chacun à son tour se mit à exprimer comment il se sentait moche, vide, sans énergie depuis quelques instants. A. L. m'accusa d'avoir drainé l'énergie du groupe et je me retrouvai avec une indigestion d'images où je me voyais comme une sangsue, ou comme un de ces trous noirs, ces «aspirateurs du ciel» qui engloutissent sans relâche la matière et l'énergie qui les entourent, pour les restituer, peut-être, dans quelque autre univers d'antimatière. J'étais atterré et j'ai passé les vacances de Noël les plus cafardeuses de ma vie.

Ici, il me manque un bout de mon histoire. Je ne tiens pas, pour ma propre démarche personnelle, les notes sommaires mais systématiques que je garde méticuleusement pour chacun de mes clients. Aussi mes souvenirs présentent-ils des condensations, des inversions, des rajouts et des trous. Je sais que ces trous cachent quelque chose d'important, mais que voulez-vous: je n'en dispose pas, du moins pour le moment.

Je sais seulement qu'en février Prométhée avait recommencé à me hanter comme jamais auparavant. Une vraie obsession. Je relus son histoire, dans un vieux volume de mythologie que je n'avais plus ouvert depuis des éternités, et je fis des (re-)découvertes fascinantes.

Je m'aperçus d'abord que j'avais télescopé, dans ma mémoire, l'histoire de Prométhée avec celle de Tantale. Tantale était ce légendaire roi de Lydie qui, recevant les dieux à souper, leur fit servir un ragoût de la chair de son propre fils (un autre «sapin»); pour châtiment, Zeus le fit précipiter dans le Tartare où il fut lui aussi enchaîné, au bord d'une rivière qui fuyait chaque fois que le pauvre assoiffé tendait les lèvres pour boire, et près des arbres fruitiers dont les branches s'éloignaient au vent chaque fois que sa faim atroce lui faisait tendre la main vers les olives, les prunes ou les poires qui étaient à sa portée; au-dessus de sa tête, un quartier de roche suspendu menaçait à tout instant de s'effondrer pour écraser le malheureux. Dans la condensation opérée par ma mémoire, je me souvenais du vol du feu des dieux, mais j'avais substitué le châtiment de Tantale à celui de Prométhée.

Je découvris aussi, avec une fierté un peu honteuse, comme on peut l'éprouver pour l'un de ses proches qui commet un acte généreux, audacieux, mais terriblement présomptueux, que mon bon Prométhée avait fait bien plus pour l'humanité que de leur apporter le feu (et puis tant pis si ça a fini par mal tourner: ce n'est tout de même pas de sa faute si Zeus a un fichu caractère!) Un peu honteuse, dis-je, car je venais de prendre conscience que je me réclamais de la descendance spirituelle en ligne directe de celui qui avait créé, animé et civilisé l'humanité! («Je suis un dieu au tréfonds de mes pensées.»)

Je n'eus de cesse que je n'eusse reproduit mon ancien dessin de Prométhée, mais avec, cette fois, à l'arrière-plan, la silhouette du sommet de l'Olympe où, entouré des dieux qui se chauffent près du feu, un Zeus dressé lance ses éclairs à travers la nuit, mais trop tard: le forfait est accompli et les hommes auront du feu désormais.

J'avais grand-hâte à la prochaine rencontre de mon groupe de thérapie, pour y exposer et mon dessin et mes découvertes. Quelques-uns de mes compagnons de groupe s'irritèrent de ce qui leur sembla un cours de mythologie grecque déplacé et m'enjoignirent de parler plutôt de moi. Je m'en fiche. Je suis même prêt à concéder qu'il y avait une part de volonté d'impressionner l'auditoire dans mon érudite présentation (puis après?). Mais je sais surtout que je venais de reconnaître une image importante de mon âme, que j'ai trouvé le goût de la montrer et, bénéfice secondaire (ou était-il primaire?) de ma démarche, que j'ai réussi à capter toute l'attention d'A. L. en le faisant.

Cette réponse d'A. L., lorsqu'une autre fois j'avais déjà soulevé un coin du voile sur mes fantaisies de voler le feu des dieux (réfléchissant à haute voix, et pesant chacun de ses mots): «Au fond, je suis d'accord pour partager mon feu avec toi... Et en même temps, d'une certaine façon, je ne suis pas d'accord...»

Mais cette fois-ci, ce qui frappa surtout A. L. à la suite de ma présentation, c'est que Prométhée était un héros tragique (je ne m'étais guère attardé à ce détail). Et ceci me rappelle maintenant une autre de ses paroles, dans une tout autre occasion et qui ne me concernait pas personnellement:

— Quand on est intègre (je traduis: quand on est fidèle à son âme), on est toujours seul.

— Toi, es-tu seul, A.? demande la personne à qui cela était adressé.

— ...oui.

Un peu plus tard, comme par hasard, je fis la connaissance de Quetzalcoatl*, le Serpent emplumé des

---

*Notamment dans Irène Nicholson, *Mexican and central american mythology*. London, Paul Hamlyn, 1967.

Nahuas et des Aztèques, dont j'avais vaguement entendu parler, mais qui fut pour moi la révélation d'un autre membre de ma lignée spirituelle. (Le bon Quetzalcoatl ne m'en voudra pas de compliquer encore ses liens de parenté: il a l'habitude de se présenter sous diverses incarnations, y compris celle de Xolotl qui est à la fois son double ténébreux et son jumeau.)

Dans son incarnation de bon roi légendaire qui régna, dit-on, sur les adorateurs du Soleil il y a bien longtemps, il fut le grand civilisateur et législateur, l'inventeur du calendrier et du Livre du Destin. Mais surtout, il fut celui qui donna aux hommes le maïs, cette nourriture des dieux qui devait leur permettre de mener dorénavant une existence pleinement humaine. C'est par la ruse que Quetzalcoatl, lui aussi, déroba les graines de maïs aux fourmis rouges qui en avaient la garde, en se déguisant lui-même en fourmi noire.

C'était un roi miséricordieux qui, comme le Bouddha, souffrait de toute souffrance infligée à la moindre des créatures de la terre. Il s'opposa de toutes ses forces aux sacrifices humains qui devaient ensanglanter plus tard l'ère aztèque et, puisqu'il fallait bien assouvir la soif des dieux qui, comme on sait, tirent leur subsistance des vies qui leur sont immolées, il ne leur sacrifia que des escargots, des papillons et des oiseaux.

Quetzalcoatl unit dans son nom le symbole céleste du Quetzal, cet oiseau rare qui se cache au sommet des arbres des hauteurs du Guatemala, avec son plumage couleur de jade, symbole de l'âme et du règne spirituel, et celui, terrestre, du serpent (coatl) qui figure les éléments lourds de matérialité que sont la terre et l'eau.

Il est né de Coatlicué*, la mère-terre qui est la source de toute matérialité et, selon certaines versions, des amours du Soleil, selon d'autres, d'une conception virginale. Comme sa mère, il est un trait d'union entre le matériel et le spirituel, mais si celle-là indique comment le principe divin dut prendre forme matérielle et se solidifier en une planète qui portera la vie, celui-ci montre comment la matière peut être transcendée pour rejoindre le divin. Quetzalcoatl est un dieu-en-devenir.

Le Serpent emplumé réussit longtemps à résister aux tentations des esprits du mal, qui essayaient par tous les moyens de le faire renoncer à son mode de vie irréprochable. Un jour, il se laissa convaincre cependant de tremper le bout du doigt dans le vin, y goûta, et ne put s'empêcher de pousser plus avant une expérience aussi agréable de sorte qu'il s'enivra affreusement. Dans son ivresse, il oublia son ascétique discipline et commit l'inceste avec sa sœur. Le réveil fut douloureux. Noyé de remords et de chagrin, Quetzalcoatl passa quatre jours et quatre nuits dans la plus complète abstinence, couché dans un cercueil de pierre. Puis il ordonna que l'on dresse un bûcher et, revêtu de sa robe de plumes et de son masque de turquoise, il se jeta dans les flammes. Ses cendres s'élevèrent au ciel comme une volée d'oiseaux, portant son cœur jusqu'au firmament où il devint l'étoile du matin, échappant à la pesanteur de la matière, prenant sa place parmi les corps célestes.

Sans doute l'histoire finit-elle sur une note plus «morale» et avec moins de désespoir que celle de Pro-

---

*Voir note, p. 44.

méthée, pour un héros qui est davantage l'auteur que l'objet de son destin: l'histoire est plus «chrétienne», pourrait-on dire. Mais le parallèle est fascinant.

Ce qui fait de Quetzalcoatl un roi, écrit Laurette Séjourné citée par I. Nicholson, c'est sa détermination à changer le cours de son existence, celui d'être l'initiateur d'un périple auquel il n'est contraint que par une nécessité intérieure. Il est le Souverain parce qu'il obéit à sa propre loi plutôt qu'à celle d'autrui, parce qu'il est la source et l'origine du *mouvement**.

Et voilà comment le vieux mythe de Prométhée me raconta une partie de l'histoire de mon âme. Je comprends mieux maintenant pourquoi j'ai rêvé de devenir pape, savant, poète ou psychothérapeute, pour apporter aux hommes, qui vivent comme en rêve, un peu de ce feu divin que les dieux jaloux ne leur céderont que par la ruse ou par la force.

Op. cit.

Sauver son âme

Les gens qui viennent me voir à mon bureau sont des *têtes de pioche*. Ils sont coincés et ils en souffrent mais, au fond d'eux-mêmes, pour rien au monde ils ne veulent lâcher prise. Car lâcher prise, c'est à la fois perdre sa raison d'être, perdre son âme. Et j'aime beaucoup les têtes de pioche.

En langage technique de mon métier, on appelle ça de la «résistance». La résistance est souvent considérée comme l'ennemi stupide et borné du bon thérapeute-sauveteur-de-l'humanité qui, tel un chevalier moderne, se fait «l'allié de la partie saine du *moi* du client» (celle qui est capable de s'adapter tout en jouissant de la vie) pour abattre le vilain trouble-fête qu'est la névrose. Don Quichotte n'est pas mort et il se lancera longtemps encore à l'assaut des moulins à vent.

Le problème c'est que mes clients, et moi-même, et vous aussi sans doute, nous confondons toujours plus ou moins la fin avec les moyens. À une certaine époque de notre vie, nous avons «appris», à tort ou à raison, que si nous tenions à préserver cette intime certitude d'être «soi-même et personne d'autre», il fallait jouer le jeu que la «réalité» nous imposait, ou que nous *croyions* qu'elle nous imposait. Mais il y a si longtemps de ça que nous ne nous en souvenons guère et puis nous avions de si pauvres moyens, dans ce temps-là, de nous rendre compte de ce qui nous arrivait. De toutes façons, c'était là une histoire si pénible, si sordide, qu'il valait mieux l'oublier. La leçon était bien apprise cependant, et de façon d'autant plus irréversible qu'elle est allée s'incruster au fond de notre inconscient, à l'abri de toute révision ultérieure. Et nous avons gardé le réflexe de nous méfier à mort de tout ce qui risque de changer notre façon d'agir, en tout ce qui touche cet enjeu de fond, parce que nous avons gardé la conviction qu'il s'agit, justement, d'une question de vie ou de mort pour notre âme.

Hélène aura toujours besoin de contact et de sécurité, mais elle apprend parfois, quoique avec angoisse, qu'elle peut espérer les concilier. Maurice s'aventure, prudemment, à établir des amitiés nouvelles avec les femmes et à y trouver du réconfort sans trop se sentir à la merci de la haine qu'il leur prête. Angélique se permet d'être un peu plus diabolique et découvre, à sa surprise, qu'elle ne sombre pas pour autant dans le feu de l'enfer et que les gens autour d'elle se mettent à l'aimer. Séléné se laisse toucher, petit à petit, d'âme à âme; elle y trouve une tristesse vaste comme un désespoir, mais aussi une source de vie et comme un goût de sourire. Constantin attend sans doute d'avoir une certitude raisonnable de pouvoir suivre son chemin à lui avant de choisir de naître. Et peut-être les lointains arrière-petits-cousins de Prométhée auront-ils toujours besoin d'être pape, savant ou poète.

Ce rêve, que Yolande rapportait lors d'une de ses dernières rencontres de groupe:

> Je suis devant un mur, assez bas pour que je puisse l'enjamber. Au-delà du mur, c'est comme un désert et je ne vois personne. Mais peut-être qu'il y a du monde, plus loin, au-delà de l'horizon. Pour voir, il faudrait sauter par-dessus le mur et y aller: ça m'attire, mais j'hésite...

Les gens vont consulter un psychothérapeute lorsqu'ils arrivent à la conclusion, souvent confuse et intuitive, que le savant dispositif qu'ils avaient mis en place pour préserver leur âme, pour maintenir cet équilibre précaire entre deux néants, s'avère un échec. Ils n'arrivent plus à maintenir cette étincelle qui donne un sens et une espérance à leur vie, ou alors l'opération devient tellement coûteuse que l'âme elle-même s'en retrouve exsangue. Et ils apportent alors leur impasse dans nos bureaux, en nous disant à la fois: «Aidez-moi à changer de peau, car j'étouffe» *et*: «Surtout ne touchez pas à la croûte qui protège mon âme, car j'en mourrais.»

Beaucoup de gens arrivent, sans aide particulière, à se faire une sorte de compromis acceptable, quelques-uns même à concilier leur écartèlement intérieur pour y trouver une source inépuisable de dynamisme et de vie. Sans doute la plupart des humains se contentent-ils de survivre, l'âme engourdie, trop désillusionnés pour oser espérer mieux: que voulez-vous, c'est la vie! (Et encore, je ne parle pas de ceux qui n'ont pas de quoi survivre.) Ce ne sont que les plus lucides, les plus irréductibles des exilés et des piégés qui font appel à une forme d'aide qui les amènera à démolir, brique par brique, le mur qu'ils ont construit autour d'eux pour en refaire une demeure habitable:

> J'ai fait de plus loin que moi un voyage abracada-
> brant
> il y a longtemps que je ne m'étais pas revu
> me voici en moi comme un homme dans une maison
> qui s'est faite en son absence
> je te salue, silence
>
> je ne suis plus revenu pour revenir
> je suis arrivé à ce qui commence*.

Lorsqu'à un détour de la vie, tout à coup, nous nous retrouvons face à nous-mêmes, au seuil de notre propre maison, le malaise nous prend. Quelque chose ne va plus. Un pan de façade se lézarde et notre belle tranquillité est foutue. Une vague angoisse, un murmure de désespoir, un symptôme irritant nous rappellent à nous-mêmes. Notre âme, trop oubliée, appelle à l'aide. Les buts que nous croyions poursuivre se changent en mirages. Les objets que nous croyions tenir perdent leur substance. Le monde nous échappe. Comme me répète inlassablement un de mes clients: «*What's the point?*» — à quoi bon?

---

*Gaston Miron, *L'homme rapaillé*.

On peut alors essayer d'oublier tout, de s'étourdir, de noyer son âme dans la frénésie, dans l'alcool, dans le mysticisme. On peut toujours essayer de perdre son âme, de la vendre à celui qui nous fera miroiter l'oubli le plus efficace.

On peut toujours essayer de *vendre son âme au diable*, c'est un procédé classique. Dans sa version courante, il s'agit de troquer une béatitude future et douillette, mais hypothétique (n'en déplaise à Blaise Pascal), contre un pays de cocagne immédiat qui nous comble au point d'en oublier les tiraillements de l'âme.

Goethe (qui était aussi un fervent de Prométhée) nous livre dans son Faust un paradigme de ce genre d'opération*. Dans la force de l'âge, le savant Herr Professor Doctor Faustus ne peut que constater la vanité d'une poursuite du savoir à laquelle il a consacré chacun de ses instants. Il n'a pas trouvé la joie et jamais il ne sera l'égal des dieux. Il est tenté par le suicide, puis y renonce. Dans un moment de lassitude, il parle de l'écartèlement de son âme, à un étudiant qui n'y comprend d'ailleurs pas grand-chose:

Faust: Deux âmes, hélas! se partagent mon sein, et chacune d'elles veut se séparer de l'autre: l'une, ardente d'amour, s'attache au monde par le moyen des organes du corps; un mouvement surnaturel entraîne l'autre loin des ténèbres, vers les hautes demeures de nos aïeux!

*Goethe a travaillé le texte de Faust de 1770 à 1831, soit pendant la majeure partie de sa vie. J'utilise la traduction de Gérard de Nerval pour les extraits du «premier Faust» (Garnier-Flammarion, 1964).

Survient Méphistophélès, qui a lancé à Dieu le défi qu'il réussirait à séduire Faust, et qui propose son pacte:

Méphistophélès:
Je veux *ici* m'attacher à ton service, obéir sans fin ni cesse à ton moindre signe; mais quand nous nous reverrons *là-dessous*, tu devras me rendre la pareille.

Faust: Si jamais je puis m'étendre sur un lit de plume pour y reposer, que ce soit fait de moi à l'instant! Si tu peux me flatter au point que je me plaise à moi-même, si tu peux m'abuser par des jouissances, que ce soit pour moi le dernier jour! Je t'offre le pari!

Mais Faust *ne vend pas* son âme au diable: il ne fait qu'une promesse de vente, et sous condition. L'âme de Faust est bien trop lucide, trop consciente de son déchirement pour que Méphisto ait la moindre chance de lui donner la paix à laquelle il aspire pourtant désespérément. Ni l'amour de Marguerite ni même celui de la belle Hélène de Troie, ressuscitée pour la circonstance, ni la jouissance du pouvoir ne réussiront à assouvir plus que temporairement son inquiétude.

Lorsque Faust rend l'âme, sous les blasphèmes de Méphisto déconfit, les anges emportent «son essence immortelle» en chantant: «Celui qui toujours cherche en un pénible effort, nous pouvons le sauver.» Faust finit par rendre son âme à Dieu, comme Monsieur Tout-le-monde, pour se retrouver dans un ciel où, d'après le chœur mystique qui termine le «deuxième Faust»:

> Tout éphémère,
> n'est que métaphore;
> l'insuffisant
> trouve ici son accomplissement;
> l'indescriptible
> ici se réalise;
> l'éternel féminin
> nous attire vers le haut.

«Das Ewig-Weibliche zieht uns hinan»: et revoilà la mère originelle qui nous attend à la fin de la boucle pour nous réabsorber dans son sein. Pour Goethe arrivé à la fin de sa vie, c'est «vers le haut» (hinan); mais dans ces choses-là, le haut et le bas se confondent aisément. (En termes contemporains on appellerait ça de la récupération.)

Il y a une autre façon de vendre son âme au diable, qui attire malgré tout davantage ma sympathie, et c'est celle qui hante le mouvement des sorcières tel qu'évoqué par Michelet*. C'est par *révolte désespérée* contre sa double aliénation, celle de serve et celle de femme, que la pauvre cherche protection d'abord, émancipation et pouvoir ensuite, en invoquant un «Esprit protecteur, fort, puissant (méchant, n'importe!) (...) Oh! la force, oh! la puissance, qui pourra bien me la donner? Je me donnerais bien en échange...» Puis, plus tard, après un long et douloureux envoûtement, lorsque la femme

---

*Jules Michelet, *La sorcière*. Garnier-Flammarion, 1966. (Édition originale en 1862). Les passages cités sont tirés de cet ouvrage.

se trouve «mûrie» à son goût par des siècles d'humilia-
tion, de négation, Satan sort de l'ombre et fait sa décla-
ration:

— Je ferai grandement les choses. Je ne suis pas de ces
maris qui comptent avec leur fiancée. Si tu ne voulais qu'être riche, cela serait à l'instant même. Si tu
ne voulais qu'être reine, remplacer Jeanne de Na-
varre, quoiqu'on y tienne, on le ferait, et le roi n'y
perdrait guère en orgueil, en méchanceté! Il est plus
grand d'être ma femme. Mais enfin, dis ce que tu
veux.

— Messire, rien que de faire du mal.

— Charmante, charmante réponse!... Oh! que j'ai raison de t'aimer!... (...) Puisque tu as si bien choisi, il
te sera, par-dessus, donné de surplus tout le reste.
Tu auras tous mes secrets. Tu verras au fond de la
terre. Le monde viendra à toi, et mettra l'or à tes
pieds... Plus, voici le vrai diamant, mon épousée,
que je te donne, la *vengeance*. (...)

On peut encore vendre son âme à Dieu. Le procédé
nous est familier, à nous qui sommes élevés dans le
giron de «notre mère l'Église»: il suffit de renier son
âme dans cette vie, contre promesse que nous nous
retrouverons dans l'au-delà, noyés pour une intermi-
nable éternité dans la foule béate des bienheureux
désincarnés, perdus dans la contemplation d'un Dieu
parfait comme une sphère, invisible, intangible et sans
doute insipide. Si on avait le choix, ou si on pouvait en
savoir quelque chose, je préférerais encore la réincar-
nation. Basta!

Sauver son âme, c'est en reprendre possession. C'est récupérer pour moi, reprendre à mon propre compte cet élan de vie qui, de ma naissance à ma mort, prend forme humaine et me distingue du monde environnant. C'est dégager mon âme de son enrobage de pieux mensonges par lesquels je tente de camoufler son étirement et sa précarité. C'est maintenir à chaque instant l'équilibre instable entre la contraction et la dispersion, entre l'implosion et l'explosion.

Je ne suis pas un sauveur d'âmes, je ne suis qu'un soigneur d'âmes. À chacun de trouver sa façon de se débrouiller avec son âme.

Mon rapport avec mes clients en psychothérapie repose nécessairement sur un paradoxe, qui est d'ailleurs le pendant de l'ambivalence tout aussi inévitable du client. Je suis là, d'une part, dans la position de celui qui aide, qui guide, qui influence afin d'amener un autre être humain à moins de souffrance, à plus de bien-être et de signification dans sa vie. Mais je sais aussi que je suis impuissant à agir, à choisir pour autrui et que, quand bien même je le pourrais, je ne réussirais à provoquer qu'un durcissement révolté ou une soumission servile, repoussant l'âme plus loin encore dans ses retranchements.

Je ne peux qu'offrir ce que je suis, ce que je vois, ce que je sens, dans une relation privilégiée, afin que l'autre puisse, à son rythme et selon son bon vouloir, prendre le risque à son tour de sortir de ses sentiers battus, d'explorer la demeure qu'il s'est construite comme un piège et entreprendre d'ouvrir, avec toute la prudence qui lui est nécessaire, les portes et fenêtres de la prison de son âme.

J'aime voir le «contrat» avec mon client comme celui d'un guide avec un voyageur qui entreprend une expédition dans cette mystérieuse forêt d'Amazonie qu'il est pour lui-même. Comme guide, je ne connais pas plus le terrain à explorer que le client lui-même, mais j'ai déjà fait d'autres voyages dans d'autres forêts et je sais comment me servir d'une boussole et d'une machette; j'ai l'expérience de la survie en forêt et j'ai déjà connu, seul et avec d'autres, cette peur d'être perdu à jamais dont nous sommes pourtant toujours revenus entiers.

Si la compréhension de soi (qui est loin d'être un phénomène exclusivement «intellectuel») occupe une place importante dans ce voyage, elle n'est certainement pas sa seule préoccupation: elle est aussi, et parfois surtout, le *moyen* d'une prise de possession des terrains inexploités, de l'acquisition de nouvelles façons de faire ou d'être, de libération d'anciens schèmes trop encroûtés dans la routine de la vie «civilisée» dont le client prend temporairement ses distances.

C'est le client qui reste le patron, pour ce qui regarde la direction, le rythme et la durée du voyage: dans les limites de ce que je peux accepter, ses défis deviennent mes objectifs et ses peurs, mes précautions. Quelquefois ma responsabilité et mon expérience me confèrent l'influence et, en cas d'urgence, l'autorité, sur le cheminement à suivre et sur la façon d'aborder et de traverser les passages difficiles.

Quant aux moyens et aux techniques, je veux utiliser tout ce que je peux puiser dans ma formation, dans mon expérience, dans mon intuition et dans mon imagination à chaque tournant du chemin, selon ce qui m'apparaît applicable *ici* et *maintenant* avec *ce client* particulier, tout en laissant toute la place aux moyens que le client lui-même possède ou désire expérimenter, en autant que je peux en évaluer les chances et les risques avec lui. Le choix des moyens est sans doute ce qui peut évoluer le plus rapidement et varier le plus d'un client à l'autre ou d'un moment à l'autre: identification des préoccupations présentes du client, utilisation de l'expression corporelle spontanée ou provoquée, focalisation (orientée ou libre) sur l'expérience immédiate, utilisation de l'interaction ici et maintenant, analyse des rêves et utilisation des fantaisies, éléments d'analyse bio-énergétique, etc., le tout dans un bain de contact affectif dont je cherche à favoriser le développement sans le forcer.

D'autres l'ont dit déjà: le «bonheur» n'est pas l'objectif de la psychothérapie. On ne peut anesthésier cette tension qui *est* l'âme qu'en l'oubliant, en la refoulant, en la vendant à qui l'on voudra, en l'étouffant. Parfois, on y réussit suffisamment pour avoir la «paix». Mais que l'on ne compte pas sur moi pour être complice d'une telle automutilation.

Pourtant, ceux qui sont sur la voie de retrouver leur âme vous le diront: la recherche est ardue, périlleuse, douloureuse parfois, mais tellement fascinante. Et puis, au fond, a-t-on vraiment le choix? Lorsque l'âme en peine crie sa détresse du fond de notre fouillis intérieur, par tous les moyens savamment répertoriés dans les manuels de psychopathologie descriptive, l'urgence s'impose d'elle-même: *il faut faire quelque chose.*

Je veux cependant m'inscrire en faux contre une expression à la mode, surtout parmi quelques-uns de mes collègues et dans certains milieux fortement «psychologisés», où l'on se répète volontiers, avec un sourire entendu: «Il faut être Vulnérable» (avec V majuscule pour marquer la noblesse d'un tel idéal). Être vulnérable, dans ce contexte, c'est d'avoir mis sa sensibilité tellement à vif que tout vous touche, qu'un rien vous blesse, que vos moyens de défense sont tellement affaiblis que vous ne représentez plus une menace pour personne: alors, vous devenez «aimable» (bien suprême!) puisqu'on aura le réflexe de vous protéger, de vous cajoler comme un enfant perdu à la recherche de sa mère (ou de vous écraser, de vous exploiter, si vous rencontrez quelqu'un qui ne respecte pas les règles du jeu de la sous-culture vulnérabiliste).

Bien sûr, nous nous sentons bien vulnérables, souvent, alors que nous poursuivons à tâtons les chemins semés d'embûches qui mènent à l'âme. Mais cela n'est qu'un passage, en route vers la force et la sérénité qui est celle d'une âme déployée.

Il est une autre perversion de l'entreprise psychothérapeutique que je veux dénoncer ici. C'est celle où il suffit de remettre son sort et son âme entre les mains d'un infaillible gourou pour pouvoir s'abreuver indéfiniment à l'énorme mamelle d'une «communauté thérapeutique» qui vous «prend en charge». Douce nostalgie du retour au lieu où nous n'étions pas encore! (Cf. supra: «vendre son âme».)

«Sauver son âme, ça coûte cher!» me disait quelqu'un qui suit d'ailleurs une psychothérapie, en me taquinant sur le coût (financier) d'une telle démarche. C'est vrai. Même que le prix à payer, en efforts, en incertitudes et en persévérance, dépasse l'aspect pécuniaire, et cela est vrai, que la recherche de son âme se fasse dans une psychothérapie ou par tout autre moyen. C'est vendre son âme qui «rapporte», en confort, en oubli, en tranquillité («Foutez-moi la paix, je ne veux rien savoir») — tant que ça dure.

Comprendre

L aissez-moi vous raconter un autre mythe, qui n'a d'ailleurs rien à envier à ceux des anciens:

Au commencement était la masse originelle, matière et énergie. Après qu'une formidable explosion eut envoyé les tourbillons de matière aux quatre coins d'un univers à n dimensions, des amas de substance s'agglutinèrent pour former des myriades de chaos chargés d'énergie, dont quelques-uns se solidifièrent dans leur vieil âge. Un magma d'atomes et de molécules s'y côtoyaient dans un désordre indescriptible, se faisant et se défaisant sans cesse. Au gré de leurs collisions, quelques molécules se complexifièrent si bien que certaines d'entre elles acquirent la capacité de produire des copies d'elles-mêmes. Et parmi celles-ci, seules les plus fortes, les mieux équipées survécurent pour produire une descendance toujours plus perfectionnée dans l'art de survivre. L'étincelle de la vie, en équilibre précaire entre le retour à la matière inerte et l'ambition d'envahir l'univers, était née.

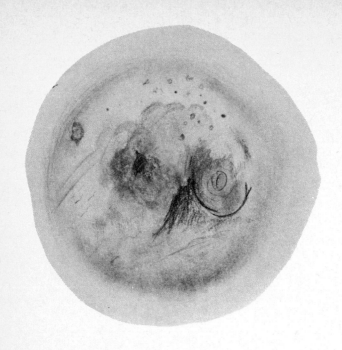

Bientôt, elle deviendrait virus, bactérie, algue, puis forêt («cette moisissure de la terre», comme dit Sartre) avec ses habitants. À grands coups de tâtonnements inlassables, la vie inventa des formes et des fonctions qui toutes furent soumises au verdict implacable du *struggle for life*. Elle inventa et perfectionna le système nerveux et, avec lui, le besoin d'explorer et la capacité d'apprendre, puis de *recréer* la réalité sous un angle nouveau, qui nous donnera les Socrate, les Gallilée, les Darwin, les Freud et les Einstein, mais aussi les Jésus, les Mahomet, les Bouddha, ainsi qu'Homère (qu'il fût individu réel ou symbole légendaire d'une création collective), Horace *(«Exegi monumentum aere perennius…»)*, Gœthe, et tous les autres.

Et me voici, *Homo* dit *sapiens*, héritier et maillon de ce tissu vital qui se déroule à travers les centaines de millions d'années. Héritier de ces vertébrés qui ont appris, pour se survivre, qu'il fallait être curieux, viscéralement poussé à fouiner, à débusquer, à comprendre, à *se* comprendre. («Moisissure de la terre», dans sa version perfectionnée depuis le pléistocène, soit il y a quelque deux millions d'années seulement.)

Comprendre. L'évolution donne quelquefois de ces excroissances monstrueuses et merveilleuses, qui se mettent à exister et à proliférer à leur propre compte, et dont la fonction pour la survie de l'espèce devient souvent douteuse, sinon nuisible: les mandibules formidables du lucane cerf-volant, le gigantisme des dinosauriens, la folie de comprendre-pour-comprendre de l'Homo sapiens.

La quête du savoir, l'obsession de percer les mystères, sont toujours vécues dans l'angoisse, car elles élèvent l'homme à l'égal des dieux. Adam et Ève paieront cher leur ambition de manger «le fruit qui leur ouvrira les yeux et qui les feront comme des dieux, qui connaissent le bien et le mal» (Genèse 3:5). Socrate sera condamné à boire la ciguë. À leur manière, les alchimistes dans leur recherche de la pierre philosophale et tous leurs semblables éprouveront la terreur sacrée du profanateur et subiront l'ostracisme des «bien-pensants», sans cependant pouvoir résister à la fascination du vide de la connaissance. Notre angoisse moderne face à l'holocauste nucléaire possible n'est pas qu'une peur réaliste: elle est aussi notre façon à nous de craindre la vengeance des dieux détenteurs de tout savoir. Et ce n'est pas sans angoisse que j'écris ces pages en me proposant de les faire publier.

L'une des découvertes les plus terrifiantes, des plus séditieuses aussi, est celle de la possibilité que la «Vérité» n'existe pas, que la «réalité» ne puisse se réduire qu'à une infinité de conceptions subjectives, de «mythes organisateurs» plus ou moins sophistiqués, plus ou moins cohérents, ou, comme on dit en jargon scientifique, plus ou moins fertiles en hypothèses expérimentalement vérifiables, donc susceptibles d'«expliquer» de façon plus générale et de «contrôler» plus efficacement les formes et les apparences du panorama qui nous entoure. (Y a-t-il plus de «vérité» dans une théorie scientifique que dans une fugue de Bach?)

Toute théorie, toute hypothèse nouvelle est un acte de rébellion, une usurpation du pouvoir de créer, une incartade à la logique (ce règlement interne du savoir officiel et inoffensif), une rupture avec l'autorité des conceptions admises et qui sera toujours vécue avec un mélange plus ou moins intense d'orgueuil et de crainte.

Toute compréhension nouvelle est ana-logique («logique à rebours»), sinon nous n'arriverions qu'à reproduire indéfiniment les conséquences toujours plus sophistiquées et stériles de nos postulats d'origine (*«Magister dixit»*, se répéteront pendant des siècles les scholastiques). Mais il suffit qu'un fou arrive et dise: «Tout à coup deux parallèles se croiseraient dans l'infini?» — et voilà un pan de mur qui tombe, ouvrant une fenêtre sur une sphère nouvelle de ce jeu de boules chinoises emboîtées les unes dans les autres qui, jusqu'à preuve du contraire, semblent bien pouvoir se multiplier sans fin.

Se comprendre. *«Gnôthi seauton»* (connais-toi toi-même): à quelques pas du gouffre où la Pythie puisait son inspiration délirante, on lisait, au fronton du temple d'Apollon de Delphes, cette inscription qui devait devenir la devise de Socrate, l'accoucheur.

Le problème de la connaissance ne se pose pas différemment lorsqu'on tente de saisir ce microcosme qu'est l'homme, cet inconnu que je suis pour moi-même. Mille points de vue s'offrent à moi pour me comprendre et l'angoisse m'étreint lorsque je m'aventure à me revoir sous un angle nouveau. Pourtant, ma vieille curiosité m'y pousse implacablement.

J'ai appris, au gré des événements, à me raconter une belle romance sur moi-même: une histoire qui se tient, que je peux montrer en public (au moins partiellement) sans trop de honte, une histoire fermée comme un cercle, sans un poil qui dépasse. Une histoire morte comme une légende, comme dans les manuels d'histoire à l'usage des colonisés. Une histoire qui me permet de cacher mon âme, au fond de moi, à l'abri des questions trop inquiétantes et des doutes trop déchirants. Une histoire qui m'emprisonne, jusqu'à ce que mon âme crie au secours, si elle n'est pas trop étouffée pour pouvoir encore crier.

On peut définir l'objectif de la psychothérapie de bien des façons: soulager les symptômes douloureux ou

159

gênants, apprendre à satisfaire ses besoins, devenir «plus vivant», rétablir la libre circulation de l'énergie, résoudre les conflits, que sais-je encore. On peut concevoir la thérapie aussi comme une tentative de se comprendre, de remplacer le mythe organisateur personnel trop étroit que je me suis donné par un autre, plus riche, plus souple, plus fécond, plus fidèle à la complexité de mon expérience. La psychanalyse ne fait-elle pas exactement cela en débouchant sur la «prise de conscience» de l'œdipe, de la peur de castration, ou de la dualité de la bonne et de la mauvaise mère?

Peut-être n'est-il pas très important de déterminer si la théorie de l'œdipe est «vraie», encore moins si elle est universelle. Ce qui fut important pour beaucoup d'hommes et de femmes, c'est sa force d'impact sur leur expérience personnelle, lorsqu'elle leur apparut soudain, sous une forme toute personnelle, au bout d'un long tunnel d'associations et d'inquiétudes: du coup, leur façon de voir le monde, de se sentir, de réagir s'en trouva modifiée.

Au fond, la psychanalyse, et toutes les autres théories qui lui ont succédé, ne sont que des mythes, ou plutôt, des mythologies ou des systèmes plus ou moins cohérents de mythes. Ceci n'est pas une critique de la valeur de ces théories, puisque ce sont des mythologies fécondes de compréhension de soi et de libération. Les mythologies ne perdent leur valeur que quand elles se figent et se prennent pour la Vérité définitive.

On s'inquiète ou on se moque souvent de la multiplication des nouveaux systèmes psychologiques qui semblent se succéder comme des modes passagères à l'usage des snobs initiés. Je crois que cette prolifération est inévitable et nécessaire, car c'est son caractère de nouveauté, d'inattendu, d'«illogique», qui confère sa force d'impact à une prise de conscience, à un mode d'approche ou à une interprétation qui cherche à bouleverser un équilibre personnel sclérosé pour libérer l'âme de sa gangue.

Je veux terminer en vous racontant une dernière histoire, qui est peut-être ma préférée de toutes:

Un jour, Tchouang-tseu rêva qu'il était un papillon. Le papillon était heureux et ignorait tout de Tchouang-tseu. Mais bientôt, il se réveilla et s'aperçut qu'il était Tchouang-tseu. Alors Tchouang-tseu se demanda s'il avait rêvé qu'il était un papillon, ou s'il était un papillon rêvant qu'il était Tchouang-tseu.

Annexe

Comment utiliser

les mandalas

Qu'est-ce qu'un mandala?

«Mandala» est un mot sanskrit qui signifie simplement: cercle. Dans la pratique religieuse des bouddhistes tibétains, le terme désigne certaines images circulaires qui servent d'objet de méditation, car elles constituent des représentations symboliques de l'univers, sous ses deux aspects du macrocosme à l'extérieur et du microcosme à l'intérieur de l'homme. C'est Jung* qui introduisit le concept en psychologie, vers 1930, en observant comment des images semblables se reproduisaient avec une constance remarquable dans plusieurs univers religieux, dans la symbolique des alchimistes, dans les créations spontanées de certains malades mentaux et, plus particulièrement, dans les rêves et dans l'imagerie de personnes qui passent par cette crise de croissance de l'adulte qu'il appelle l'individuation et qui débouche sur l'intégration des contradictions du psychisme humain. Jung voit donc le mandala comme une manifestation de l'éternelle tentative de trouver l'unité et l'harmonie intérieures.

La pratique des mandalas réapparaît sous une forme différente, depuis quelques années, dans les milieux de la psychologie dite «humaniste», où elle semble s'être diffusée surtout par la tradition orale. Le mandala n'est plus traité ici comme une manifestation spontanée, mais plutôt comme une pratique délibérée visant à favoriser une prise de conscience *(awareness)* et une

---

* Carl Gustav JUNG, *Mandala symbolism*. Bollingen Series, Princeton University Press, 1972. — Cet ouvrage est un recueil de la plupart des écrits de Jung sur les mandalas.

intégration de l'expérience vécue (centration)*. C'est dans le sens de cette tradition récente que les mandalas sont utilisés ici.

La production de votre mandala

Comme équipement de base, il suffit de disposer de papier à dessin (ou tout simplement de papier blanc à dactylo) et d'un jeu de crayons de couleurs ou de stylos-feutre, à votre goût (les boîtes standard d'une douzaine de couleurs font l'affaire). Que rien ne vous empêche cependant de tracer un mandala avec votre orteil sur le sable lisse d'une plage ou de tenter un mandala en relief avec la boue d'un ruisseau!

La pièce d'équipement la plus importante est un environnement où rien de l'extérieur ne viendra distraire la conversation entre votre âme et votre mandala. Vous pouvez vous laisser bercer par un fond musical «neutre», c'est-à-dire, qui ne vous *suggère pas* un thème ou une émotion particulière (personnellement, j'aime les sonates pour flûte de J.S. Bach ou de ses contemporains, ainsi que la musique de Jean-Michel Jarre, de Klaus Schultze, de Pascal Languirand, etc.)

Laissez-vous maintenant aller à *tracer sur le papier tout ce qui vous viendra*, sans vous laisser guider par aucune intention, par aucun projet. Au début, ceci n'est pas facile, mais ça s'apprend à l'usage! N'essayez donc pas d'obtenir un résultat, une représentation ou

---

* Jung semble d'ailleurs avoir fait allusion à une telle utilisation en 1955: *op. cit.*, p. 5 (par. 718).

un effet particuliers. Ne vous préoccupez pas de la beauté de votre production. Laissez-vous simplement inspirer à chaque instant par votre impulsion du moment, dans le choix du crayon, dans le rythme, l'intensité ou le tracé de votre coup de crayon. Poursuivez jusqu'à ce que vous *sentiez* que c'est terminé, que votre inspiration s'arrête là ou que le mandala «se détache comme un fruit mûr». Que cela vous prenne cinq minutes ou une demi-heure, c'est votre rythme intérieur qui le déterminera. *La seule exigence formelle* est de produire un dessin qui aura approximativement un *contour circulaire:* à votre goût vous pouvez commencer par tracer ce contour (si vous n'êtes pas trop sûr au début, tracez autour d'une assiette à déjeuner) ou encore, vous pouvez laissez évoluer le dessin «par l'intérieur» jusqu'à ce qu'il prenne une forme arrondie. Cette forme vous amènera à vous «ramasser», à vous «unifier», et donc à vous «centrer» davantage.

Faites cet exercice aussi souvent que cela vous convient, que ce soit au début de chaque journée, le soir au moment où vous voulez «vous retrouver», ou de temps à autres lorsque vous vous sentirez éparpillé ou brumeux, ou incertain, ou rempli d'émotions diverses, ou complètement vidé... bref, chaque fois que vous voulez tendre l'oreille aux murmures de votre âme.

La «méditation»

Le mandala est une occasion de méditation; j'entends par là un moment qu'on se donne en cadeau pour évacuer les multiples préoccupations extérieures qui accaparent notre attention la plupart du temps, afin d'être simplement en contact avec soi-même.

Pendant la production de votre mandala, laissez flotter librement votre sensibilité pour «goûter» comment vous êtes, tout au long de votre activité de création. Après, disposez le mandala bien en vue, installez-vous confortablement, et prenez quelques minutes pour laisser osciller votre attention entre votre dessin et votre état d'âme. Laissez votre mandala vous parler de vous, puisqu'il est le miroir de ce que vous êtes en ce moment. N'essayez pas trop d'«interpréter» votre mandala, de l'expliquer ou de l'analyser intellectuellement. Laissez-vous plutôt «toucher» par lui et laissez simplement surgir en vous les sentiments, les images, les sensations, les souvenirs, les élans qui veulent bien se manifester spontanément.

Si vous pratiquez cette technique régulièrement pendant un certain temps, vous verrez que vous en tirerez de plus en plus de bien-être, de détente, de connaissance de vous-même. Vous garderez aussi une sorte de journal intime très particulier, car chaque dessin vous rappellera des moments significatifs de votre histoire intérieure.

Il peut être bon aussi, quelquefois, d'échanger des impressions sur ses mandalas avec un ami intime, à condition encore que l'on résiste à la tentation d'interpréter ou de trouver «LA clef» de façon intellectuelle.

Bons mandalas!

Table

des matières

Le vingt-septième bal masqué de Cendrillon 7

L'âme piégée 33

Les extraterrestres (Séléné et Constantin) 51

Le corps dépotoir (Maurice) 65

Immobiliser le balancier (Hélène) 77

L'étreinte du désespoir (Yolande) 93

La complaisance, ou Qui fait l'ange fait
    la bête (Angélique) 105

Prométhée 121

Sauver son âme 137

Comprendre 153

Annexe: Comment utiliser les mandalas 163

Achevé d'imprimer
en janvier mil neuf cent quatre-vingt-deux
sur les presses de l'Imprimerie Gagné Ltée
Louiseville - Montréal.
Imprimé au Canada